ARTICLE 353
DU CODE PÉNAL

5 Juillet 2017

M Ten

DU MÊME AUTEUR

☆*m*

LE BLACK NOTE, *roman*, 1998

CINÉMA, *roman*, 1999

L'ABSOLUE PERFECTION DU CRIME, *roman*, 2001, ("double", n° 36)

INSOUPÇONNABLE, *roman*, 2006, ("double", n° 59)

PARIS-BREST, *roman*, 2009, ("double", n° 91)

LA DISPARITION DE JIM SULLIVAN, *roman*, 2013, ("double", n° 106)

TANGUY VIEL

ARTICLE 353 DU CODE PÉNAL

☆*m*

LES ÉDITIONS DE MINUIT

L'ÉDITION ORIGINALE DE CET OUVRAGE A ÉTÉ TIRÉE
À QUARANTE-CINQ EXEMPLAIRES SUR VERGÉ DES
PAPETERIES DE VIZILLE, NUMÉROTÉS DE 1 À 45 PLUS
HUIT EXEMPLAIRES HORS COMMERCE NUMÉROTÉS
DE H.-C. I À H.-C. VIII

L'auteur tient à remercier le CNL,
ainsi que CICLIC (agence pour le livre en Région Centre)
et la librairie Les Temps Modernes à Orléans
pour leur soutien.

Sur aucune mer du monde, même aussi près d'une côte, un homme n'aime se retrouver dans l'eau tout habillé – la surprise que c'est pour le corps de changer subitement d'élément, quand l'instant d'avant le même homme aussi bien bavardait sur le banc d'un bateau, à préparer ses lignes sur le balcon arrière, et puis l'instant d'après, voilà, un autre monde, les litres d'eau salée, le froid qui engourdit et jusqu'au poids des vêtements qui empêche de nager.

Il y avait le bruit du moteur qui tournait au ralenti et les vagues à peine qui tapaient un peu la coque, au loin les îlots rocheux que la mer en partie recouvrirait bientôt, et puis les sternes ou mouettes qui tournaient au-dessus de moi comme près d'un chalutier, à cause de l'habitude qu'elles ont de venir voir ce qu'on remonte sur nos bateaux de pêche, en l'occurrence : un homard et deux tourteaux, c'est ce qu'il y avait dans le casier quand on l'a hissé, qu'on l'a soulevé tous les deux par-dessus le bastingage – puisque donc on était encore deux à ce moment-là, remontant ensemble le casier comme deux vieux amis qu'on aurait cru être, à déjà voir les crabes se débattre et cogner les grillages, en même temps qu'on le posait là, le lourd casier, dans le fond du cockpit. C'est lui qui a sorti le homard et l'a jeté dans le seau, avec assez de vigueur pour éviter les pinces qui ensuite s'échineraient sur les parois de plastique, lui, fier comme Artaban d'avoir pris un homard, il m'a dit : Kermeur, c'est mon premier homard, je vous l'offre.

Je ne saurais pas dire aujourd'hui si c'est cette phrase ou une autre, mais je sais que pas longtemps après, je le regardais frapper la mer de ses bras alourdis, indifférent aux gerbes d'écume qu'il dépla-çait. Peut-être il a pensé que c'était une mauvaise blague. Peut-être il a pensé qu'il allait rejoindre un rocher ou un autre qui à marée basse se verrait affleurer. Même les sternes dans leurs rires avaient l'air de penser ça – elles, posées sur les arêtes cou-pantes des quelques roches lointaines qui déchi-raient l'horizon, comme si elles trouvaient normal ce qui venait de se passer, je veux dire, ce type tombé dans l'eau froide et qui peinait à nager tout habillé, soufflait ce qu'il pouvait en répétant mon nom pour que je vienne l'aider, disant : Kermeur, merde, venez m'aider, Kermeur, qu'est-ce que vous foutez. Et il a ajouté des mots comme « bordel » ou « putain » ou « vous faites chier » en pensant que ça me pousserait à réagir. Mais cela, non, il n'en était pas question. Et déjà je sentais que même les mouettes, blanches et froides comme des infirmières à force de ne jamais cligner des yeux, même les mouettes, elles approuvaient.

Peut-être, j'ai pensé depuis, pour vraiment savoir ce qui s'est passé à ce moment-là, c'est à une mouette qu'il faudrait le demander. Puis je suis entré dans la cabine et j'ai poussé la manette des gaz, désormais seul à la barre d'un Merry Fisher de neuf mètres de long, comme si c'était mon propre bateau que je pilotais, assis sur le siège en cuir derrière la vitre piquée de sel, à mes pieds les tourteaux résignés. De l'extérieur, sûrement, on aurait dit que j'étais un vieux pêcheur habitué à sa sortie quotidienne, silencieux par nature et les gestes bien réglés, derrière moi le sillage bruyant qui recouvrait ses cris. Alors j'ai poussé la manette un peu plus fort, avec les quatre cents chevaux qui nous propulsaient, le bateau et moi, de sorte qu'en un quart d'heure à peine j'ai fait les cinq milles qui nous séparaient du port. Cinq milles, c'est sûr, ça ne se fait pas à la nage, encore moins dans une eau fraîche comme elle l'est sur nos côtes au mois de juin, et quand bien même, cinq milles nautiques, ça fait dans les neuf kilomètres.

J'ai garé le bateau à la même place, là où on l'avait pris une heure plus tôt, ponton A, place 93. Il n'y avait personne ou presque ce matin-là sur le port, et j'ai fait comme si de rien n'était, j'ai amarré le bateau comme si c'était le mien, j'ai emprunté la passerelle de fer qui menait jusqu'au quai et puis j'ai pris ma voiture sur le parking. Sûrement derrière une vitre ou un rideau, sûrement on aura observé toute la scène. Je me souviens que je me suis dit cela dans ma voiture, que tout, à cet instant, s'écrivait à l'encre noire dans l'œil d'un autre.

Quand la police a sonné chez moi quelques heures plus tard, non, je n'ai pas été surpris. Je n'aurais pas su dire si c'était la gendarmerie ou la police nationale mais je sais qu'ils étaient quatre, deux en uniforme devant la porte, deux autres à peine plus discrets dans la fourgonnette au bout de l'allée. Sans doute, j'ai l'âme assez coupable pour ne pas être surpris de voir la loi fondre sur moi comme une buse et déjà planter ses griffes dans mes épaules. Et comme j'y pense désormais, même si je les avais vus venir de loin, même si j'avais scruté aux jumelles leur présence sur la route et que j'avais compris qu'ils étaient là pour moi, je n'aurais pas fait autrement. Même s'ils m'avaient suivi depuis l'aube, j'aurais fait pareil, pareillement jeté Antoine Lazenec à l'eau, pareillement garé le bateau à sa même place, suivi le chenal qui mène au port de plaisance, pareillement respecté les bouées vertes et rouges comme des signaux ferroviaires, avec toujours cette mouette posée à l'arrière du bateau et qui peut-être attendait que je la paye pour partir. Elle, la mouette, dans son œil rond sans paupière on aurait dit qu'elle insistait pour faire partie de l'histoire, comme un témoin inflexible qui pourrait se tenir à la barre de tous les tribunaux du monde. Et j'avais juste envie de lui dire que j'irais de moi-même, au tribunal, que je n'avais pas l'intention de me soustraire à la loi. J'avais envie de lui dire : moi aussi, je suis une mouette, moi aussi je plane au-dessus de l'eau, je sens bien que je n'ai plus de chair vraiment et alors je survole la mer et les bateaux sur le port et je suis une mouette, voilà, je suis une mouette dans la brume du port, et je vois se dessiner la ville, et elle semble écrite dans une langue que je ne comprends pas, un alphabet fait d'immeubles reconstruits et de fenêtres ouvertes et seulement sur les rebords je peux repérer les miettes qui restent. Oui je suis une mouette et moi aussi j'attends l'aube, que les gens mettent leurs poubelles sur la rue, parce qu'ici les gens ont compris qu'on ne pouvait pas mettre ses poubelles dehors pour la nuit, qu'on ne pouvait pas enfermer ses déchets dans un sac et seulement les jeter dehors, non, ses poubelles, on doit les garder toute la nuit chez soi, près de son lit, pour être sûr qu'aucune mouette ne viendra les éventrer. On doit vivre avec l'odeur de ses poubelles, l'odeur de cha-que chose faite et digérée et jetée mais qui continue de pourrir à côté de soi jusqu'à l'aube – voilà le prix des mouettes dans la région.

Et puis donc, la police, l'arrestation, tout s'est passé calmement. Ils ont usé des formules qu'on use dans ces moments-là. J'ai pris mon manteau à l'entrée et je les ai suivis sans rien dire. Je crois que c'est à ce moment-là qu'il a commencé à pleuvoir un peu, une bruine sans vent qui ne fait pas de bruit quand elle touche le sol et même enveloppe l'air d'une sorte de douceur étrange à force de pénétrer la matière et comme la faisant taire. Là, en même temps que je présentais mes poignets aux policiers comme si c'était une vieille habitude, j'ai jeté un dernier regard autour de moi, vers la terre abîmée, la mer en contrebas. Je me suis dit que désormais j'aurai le temps de la regarder, la mer, depuis les fenêtres de ma cellule. Puis les deux flics m'ont poussé à l'arrière du fourgon et ils m'ont fait asseoir sur le banc de plastique collé à la tôle. Là, je me souviens, dans l'inconfort de la camionnette qui traversait le pont, sursautant à chaque nid-de-poule de la route fatiguée par le poids des remorques et des bateaux de dix tonnes, là, par la vitre arrière qui accueillait la bruine, on aurait dit que le ciel essayait de traverser le grillage pour se mettre à l'abri lui aussi, et ça faisait comme un rideau de tulle qu'on aurait posé sur la ville et qui ressemblait à notre histoire, oui ça ressemble à notre histoire, j'ai dit au juge, ce n'est pas du brouillard ni du vent mais un simple rideau indéchirable qui nous sépare des choses.

I

Donc vous êtes revenu seul, a dit le juge.

Oui, on était deux et puis voilà, je suis revenu seul.

Alors vous savez pourquoi vous êtes là.

Oui.

On a retrouvé le corps ce matin.

Je sais.

Le mieux, a dit le juge, ce serait de reprendre depuis le début, et sans me laisser entendre si c'était plutôt une menace ou une dernière chance qu'il me laissait – moi, assis sur la chaise de bois qui lui faisait face, en contrebas du bureau de chêne ou de merisier qui semblait le surélever un peu, là, dans les quinze mètres carrés qui nous accueillaient tous les deux, dans le palais de justice aux murs si défraîchis, au fond d'un couloir sombre.

Il y avait encore l'air du large qui dispersait mes pensées, l'impression que les fenêtres étaient grandes ouvertes, et qu'encore mes idées – non, ce n'était pas des idées, des images peut-être, mais qui maintenant tourbillonnaient plus que le vent dans une voile, comme si j'étais un cormoran guidé par les caprices de l'air et cherchant sur la mer la moindre ombre ou étincelle qui justifierait que je plonge pour y prélever quelque chose, n'importe quoi pourvu de savoir par où commencer – quelque chose qui se mettrait à briller sous l'eau comme l'écaille d'un poisson.

Il faudrait m'enlever ces menottes, j'ai dit. Moi, je ne peux pas parler sans les mains libres.

Le juge a soupiré un peu fort, du genre de soupir qui dit « je ne devrais pas mais je vais le faire quand même », et puis il a fait un signe au gendarme derrière moi, comme quoi c'était bon, on pouvait m'enlever les menottes. Pour un juge, il n'avait pas cette condescendance ou dureté ni tout l'attirail que je m'étais représenté le concernant, je veux dire, ni la barbe grise ni l'embonpoint d'un quadragénaire, non, ce juge-là, il avait trente ans à tout casser et on aurait dit qu'il avait envie de m'écouter. Je me suis dit qu'il aurait pu être mon fils, qu'en un sens, il aurait mieux valu que ce soit lui, mon fils, étant donné la situation d'Erwan à cet instant – Erwan, oui, c'est le prénom de mon fils –, étant donné la cellule de trois mètres sur trois d'où sûrement il regardait la ville, puisque donc il y a cela aussi dans cette histoire, les conneries d'Erwan.

J'ai frotté un peu mes poignets pour les adoucir et j'ai évité de regarder le gendarme parce que je ne voulais pas qu'il me croie insolent ou fier, dès lors

16

que non, je n'étais fier de rien du tout. Et tandis que la porte claquait doucement, de ses deux mains qu'il a eu l'air d'ouvrir comme un évangéliste, le juge m'a engagé à parler. Il y avait une odeur de peinture fraîche qui traînait dans la pièce, de ce genre de couleur neutre un peu grise dont on habille volontiers les bureaux pour oublier qu'ils sont vieux. Et ça faisait comme un mélange étrange, parce qu'on aurait dit que toutes les injustices de la ville se trouvaient là depuis des siècles, comme piégées maintenant sous la peinture neuve et prisonnières pour longtemps. Et je ne dis pas que j'étais détendu à ce moment-là, mais pour la première fois depuis des mois, je me sentais comme à ma place. D'ailleurs, à force d'aplomb dans ma voix ou d'avoir l'air si à l'aise dans son bureau, je l'ai vu, le juge, qui s'enfonçait dans son fauteuil de cuir et respirait plus largement, comme pour me dire qu'à partir de maintenant, oui, il comptait sur moi comme sur son code pénal, et répétant seulement : depuis le début, monsieur Kermeur, depuis le début.

Et il avait l'air d'avoir le temps, il avait l'air de penser que si ça devait prendre quinze jours, il les prendrait, rien que pour comprendre je ne sais pas quel ressort caché de l'histoire, alors j'ai dit :

Une vulgaire histoire d'escroquerie, monsieur le juge, rien de plus.

Et pour la première fois, je ressentais toute l'affaire d'un seul mouvement, comme si, en disant cela, je l'avais photographiée depuis la lune et que je regardais une planète prise dans ses grandes surfaces bleues.

Une vulgaire histoire d'escroquerie, j'ai répété et baissant le regard à hauteur du bois du bureau, une main posée à plat dessus, à demi cachée par les dizaines de dossiers entassés sur le cuir qui le protégeait, écrits déjà sur beaucoup d'entre eux « affaire Lazenec ».

Sûrement, ce genre de type, j'ai dit au juge, si on avait été dans un village de montagne ou bien dans une ville du Far West cent ans plus tôt, sûrement on l'aurait vu arriver, à pied peut-être franchir les portes de la ville, à cheval s'arrêter sur le seuil de la rue principale, en tout cas depuis le relais de poste ou le saloon, on n'aurait pas mis longtemps à comprendre à qui on avait affaire. Et peut-être vous, j'ai dit au juge, il y a cent ans, vous auriez plutôt été shérif, et dans votre poche au lieu d'un code pénal appris par cœur il y aurait eu un revolver ou quelque chose comme ça, quand peut-être le droit et la force n'étaient pas complètement séparés, si on peut dire que depuis ils ont été complètement séparés et si on peut dire que ce fut une si bonne chose que ça, vu que désormais la force ou la violence, elles ont bien appris à se déguiser.

Mais le fait est qu'on ne l'a pas vu arriver. Nous, on l'a plutôt vu pousser, comme un champignon au pied d'un arbre, et il fallait déjà qu'il ait atteint une sacrée taille pour qu'on commence à voir quelque chose. Et je ne dis pas qu'avant lui c'était le calme plat mais quand même on peut dire que dans cette région, je ne dis pas dans le monde entier mais dans cette région qu'on n'a pas dû voir à la télévision depuis vingt ans, il y a bien des moments où les choses ont suivi leurs cours sans excès, où les journaux et les comptoirs des bars, bien sûr ils ont eu de quoi nourrir la conversation quotidienne mais rien qui défraye assez la chronique pour qu'on sente comme une rumeur s'emparer de chacun, une rumeur qui s'enfle et le pire, se fonde, à ce point qu'à un moment il n'y aurait personne pour avoir plus le droit qu'un autre de raconter. Ce serait plutôt comme une sorte de bruit de fond qui aurait doucement soufflé, empli de molécules qui ont fini par retomber en pluie sur chacun d'entre nous, sans qu'aucun se sente plus coupable ou plus concerné ou plus légitime pour raconter, mais sans qu'aucun, non plus, se prive d'ajouter son mot, son anecdote et finalement son jugement, pourvu que chaque phrase puisse cimenter sa tombe à lui, qu'on aurait tous voulu voir scellée depuis longtemps.

Non. Pas tous. Sinon, j'ai dit au juge, il n'aurait pas prospéré comme il a fait, sans qu'on sache jamais qui le soutenait vraiment. Et c'est à peine si à moi plus qu'à un autre incombe cette tâche de raconter toute l'histoire, sinon que sous mes fenêtres sont arrivés plus d'éclats peut-être que chez les autres citoyens, comme des brisures de verre qu'une sorte

20

de vent local aurait soulevées et déposées plus souvent vers chez moi, comme à certains on dépose un nourrisson.

Mais depuis le temps que les tribunaux auraient dû s'intéresser à son cas, j'ai dit au juge, moi, je suis seulement un bourgeon éclos le long de branches déjà longues, un bourgeon qui émerge à peine dans l'aube aussi brumeuse que les rues de Londres un matin de novembre, si je peux considérer qu'en matière de brume, ici même, on n'a pas grand-chose à envier à l'Angleterre. Peut-être que c'est pour ça aussi, quand un type comme lui arrive avec une expression si solide sur le visage, avec comme des phrases à angle droit et puis l'air si bien posé sur le sol humide, il y a quelque chose en lui qui serait comme une main tendue pour nous extraire des flots, à force d'énergie et d'idées de changement, à force de grands projets.

Puisque donc il avait cela, des projets. Et voyez déjà le genre de type que c'était, j'ai dit au juge, un type qui avait des projets.

Ici, je peux vous dire, ce n'est pas un mot qu'on entendait très souvent ces dernières années, vu peut-être l'état des forces en présence, vu les cinq mille habitants un peu las de la presqu'île, ici, je ne sais pas si on peut dire plus qu'ailleurs, mais on sentait cela depuis longtemps, l'humeur du ciel abattue sur la rade, là, sur les sentiers côtiers, dans les allées du bourg et jusque dans les réunions du conseil municipal, on sentait cela, une fatigue.

Alors peut-être il suffit d'un type qui débarque avec assez d'énergie et un carnet de chèques plus épais que la moyenne pour que tout le monde se dise que c'est lui, l'envoyé d'on ne sait quel dieu pour nous sortir du marécage. Du moins on dirait que c'est comme ça que ça s'est passé, que du jour où il a débarqué dans la presqu'île avec cette idée si simple de racheter le château et tout le parc autour du château, alors c'est un peu comme si le chèque qu'il avait fait ce jour-là, on l'avait tous signé avec lui.

Je n'ai jamais trop su pourquoi on appelait ça le château, parce que ce n'était pas vraiment un château, plutôt une grande maison avec de la pierre de taille et des ardoises très anciennes qui glissaient volontiers du toit dès que le vent s'énervait un peu, assez grande cependant pour que tout le monde ici dise ce mot-là, château, vu que dans un bourg comme le nôtre, on dirait que chaque chose a comme besoin de porter son surnom pour faire partie de nous tous, alors cette maison inhabitée depuis si longtemps, cela faisait longtemps aussi qu'on l'appelait le château, là, dominant la rade, comme faisant face à la ville de l'autre côté du pont.

Vous comprenez, j'ai dit au juge, nous, ce n'était pas la ville. Nous, c'était la presqu'île en face.

Et on disait le château d'abord pour ça, parce qu'ainsi posé sur la pointe, il semblait lui tenir tête, à la ville. Je crois qu'on disait le château aussi, parce que ça appartenait à la commune. D'ailleurs, c'est bien parce que ça appartenait à la commune qu'il fallait quelqu'un pour entretenir le parc, quelqu'un qui tonde les deux hectares de pelouse une fois par mois, comme si en quelque sorte c'était un vrai château et qu'alors il y avait besoin d'un vrai régisseur. Et en quelque sorte, ce régisseur c'était moi, du moins depuis que le maire de l'époque m'avait proposé ça – quelque chose pour vous dépanner, il avait dit, à cause de la pluie de problèmes qui s'abattait sur moi ces années-là, alors par amitié peut-être, par compassion aussi bien, il m'a proposé de m'occuper du château et d'habiter là, dans la maison vide à l'entrée du parc.

En échange vous n'aurez qu'à entretenir le domaine, m'a dit Le Goff – oui, le maire, il s'appelait Le Goff et en effet il m'a proposé ça, qu'en échange d'un logement, je n'aurais qu'à tondre et puis tailler les haies, et puis quand on le mettra en vente (oui, parce que c'était déjà prévu, vu les finances de la commune, c'était déjà prévu que le château serait à vendre un jour), quand on le mettra en vente, il a dit, vous vous occuperez des visites. Je me souviens quand il est venu me voir un soir et qu'il m'a dit comme ça en regardant par terre, après avoir échangé deux ou trois choses sur la bruine qui mouillait l'air ce soir-là, il a dit un peu en marmonnant, comme si ça lui coûtait plus cher qu'à moi, il a dit : Voilà, on va vendre.

Et moi j'ai demandé : En l'état ? Vous voulez vendre en l'état ?

Oui, en l'état, on vend et on ne touche à rien, on laisse tout, même les araignées qui auront fait leurs toiles et les fantômes qui vont avec, celui qui achètera ça, il aura tout.

Alors j'ai repris : Et moi, est-ce qu'il faudra que je parte ?

Mon vieux Kermeur, il m'a dit, ça ne changera rien pour vous, il faudra seulement que vous vous mettiez d'accord avec le futur propriétaire, parce que les deux hectares, ils seront à lui.

Et puis il a ajouté : Et si un jour vos finances vont mieux, eh bien...

Et je savais très bien ce qu'il voulait dire, et il savait très bien que je le savais, que mes finances étaient censées se mettre au beau fixe bientôt très bientôt, dès que j'aurais touché l'indemnité de l'arsenal, qu'alors ce serait comme un nouveau départ pour moi, pour moi et quelques milliers d'autres, vu qu'en trois ans ils avaient divisé le personnel par cinq.

Dans moins de dix ans, j'ai dit au juge, l'arsenal, il sera désaffecté. Dans moins de dix ans, il ne sera plus qu'un mémorial au cœur de la ville. Peut-être il y aura toujours de hauts grillages et des gendarmes à l'entrée pour qu'on n'entre pas. Peut-être on se demandera toujours ce qu'on fait à l'intérieur. Mais en réalité il sera vide, il n'y aura plus rien que des gestes oubliés, la poussière sur les machines, la foule absente. Et moi je ne dis pas que c'est bien ou mal. Je dis seulement que ça nous est tombé dessus un peu vite et sans même que tous ces départs accélérés n'aient provoqué tant de remous, encore moins de mouvements de grève ou de protestation, pour la simple raison que l'État ou la Ville ou les deux n'ont pour une fois pas mégoté sur les conditions de départ, étant donné les 400 000 francs en moyenne qu'on s'était vu chacun allouer en guise d'indemnités, étant donné ce que signifiait 400 000 francs en 1990, autrement dit le prix d'une petite maison dans le Finistère.

Alors vous comprenez, même syndiqués, même militants, il a bien fallu reconnaître avec quelle harmonie la lente et fatale fermeture de l'arsenal était en train d'avoir lieu, de sorte que la plupart d'entre nous, à peine débarqués, on fut plus occupés à regarder les annonces immobilières ou les vitrines des bateaux neufs qu'à mégoter pour vingt mille francs de plus.

Et encore maintenant, quand on se promène sur les sentiers côtiers qui dominent l'océan, même en semaine quand on regarde le goulet malgré le courant et la mer qui lève contre le vent, on croise une série de gars qui n'ont pas l'âge d'être à la retraite mais qui peuvent se pavaner au volant de leur pêche-promenade en posant bien en évidence le fruit de leur pêche sur les pontons, vu que depuis dix ans qu'ils ont été remerciés, il faut bien qu'ils occupent leur matinée – plutôt leur matinée, oui, puisque comme chacun sait, pour la pêche il vaut mieux se lever tôt, et puis relever ses casiers avant que quelqu'un s'en occupe pour vous. Mais il ne s'agirait pas que je me lance à parler de pêche, j'ai dit au juge, là-dessus je serais trop intarissable, et puis ce n'est pas pour ça que je suis ici.

Ça reste à prouver, a dit le juge.

À ça je n'ai pas répondu, parce que je n'ai pas le sens de ça, la vitesse des mots comme l'a un juge ou un avocat et qui les fait cingler comme un fouet dans l'air. En tout cas, ce n'est pas faute de l'avoir dit mille fois, qu'avec cet argent, moi aussi il fallait que je m'achète un bon bateau de pêche avec un moteur assez puissant pour passer les vagues à la sortie de la rade, et que dans le pire des cas, j'ai toujours pensé, si la vie se durcissait, eh bien je pourrais toujours aller vivre dessus, du moins provisoirement, m'étais-je dit, oui, ce serait comme un abri. Et je me voyais finir comme ça, dans la cabine aménagée d'un Antares ou d'un Merry Fisher arrimé au ponton dans le fond de n'importe quel port. Mais ce n'est pas ce que j'ai fait.

Non, a dit le juge, ce n'est pas ce que vous avez fait.

Sinon je ne serais pas là, j'ai dit.

Non, a dit le juge, sinon vous ne seriez pas là.

Et ça m'a fait bizarre d'entendre ça dans la bouche du juge, comme de l'ironie ou je ne sais pas, un couteau dans une plaie qu'il rouvrait en moi sans que je distingue s'il le faisait par amusement ou si seulement il suivait la ligne droite des faits, si la ligne droite des faits, c'était aussi la somme des omissions et renoncements et choses inaccomplies, si la ligne droite des faits, c'était comme l'enchaînement de mauvaises réponses à un grand questionnaire.

En tout cas j'étais bien placé pour le voir arriver, lui, Antoine Lazenec, avec ses chaussures à bouts pointus – je ne sais pas pourquoi j'ai toujours eu du mal avec les chaussures à bouts pointus, les chaussures italiennes qui brillent même sous la pluie, comme si j'avais l'habitude de commencer par les pieds pour aborder les gens, normalement non, mais là, j'étais à tondre la pelouse du parc et donc la tête plutôt basse à surveiller l'avancée de la tondeuse sur le gazon sans trop entendre ce qui se passait autour, et ce que j'ai vu en premier, eh bien ce sont ses chaussures de cuir posées dans l'allée, aussi parce qu'elles étaient si bien cirées et si noires sur le gravier blanc, alors j'ai levé la tête et j'ai vu ce type pas très grand et presque chauve avec une veste noire et puis une chemise un peu ouverte comme un Parisien, et il me regardait sans vraiment sourire, attendant que j'arrête le moteur de la tondeuse. Alors quand le moteur fut coupé, quand d'un coup le silence s'est installé, il m'a juste dit : C'est à vendre, tout ça ?

Il y avait le bruit de ses clés qu'il remuait au fond de sa poche en même temps qu'il jetait les yeux vers le château, comme si d'un seul mouvement de tête, d'un seul « tout ça », il avait circonscrit le périmètre du domaine, les deux hectares qui regardaient la mer, la vieille bâtisse de granit usé, et se l'appropriait déjà. Derrière lui, je pouvais voir sa voiture de sport couleur crème ou ivoire qui brillait dans le soleil puisque, oui, voyez, il y avait du soleil – il y a du soleil ici quelquefois.

Oui, j'ai dit, tout ça c'est à vendre. Le château et les deux hectares du parc, c'est à vendre.

Il y a eu un silence, tous les deux posés là dans l'ombre de la façade, moi, à enlever l'herbe humide qui collait à la lame sous la tondeuse, lui, debout dans le calme, le vent presque absent ce jour-là, les mains toujours dans le bruit de ses poches. Je voyais bien qu'il attendait quelque chose alors j'ai lancé :

Vous venez peut-être pour visiter ?

En effet.

Vous voulez que je vous ouvre alors ?

Non, il a dit, j'attends quelqu'un.

Et à nouveau on était là, entre deux phrases pas naturelles, un œil pour l'attente et l'autre pour le verger qui descendait vers l'eau, déjà les premières pommes qui faisaient ployer les branches, et puis un peu plus bas encore, Erwan qui jouait avec son ballon de foot sous les arbres. Alors peut-être parce qu'on ne savait pas où regarder l'un comme l'autre, peut-être parce que je n'osais pas remettre la ton-

29

deuse en marche et puis parce que dans ces ins-
tants-là, on cherche ce qui autour de nous pourrait
accrocher nos pensées comme à un portemanteau,
en tout cas il a relancé la conversation, il a dit :

C'est votre fils ?

Oui, j'ai dit.

Il aime le foot, on dirait.

Oui.

Vous suivez le foot ?

Comme tout le monde.

Comment il s'appelle, votre fils ?

Erwan.

Il a quel âge ?

Dix ans, bientôt onze.

Et il avait l'air de s'impatienter un peu, regardant
vers la route si quelqu'un approchait, la main toujours dans la poche et le cliquetis continu de ses
clés. Lui, pas plus qu'un autre je ne me suis dit à
cet instant qu'il allait acheter, parce que j'en avais
vu quelques-uns déjà, des types en costume avec
sûrement un portefeuille plus gros que le cœur, mais
quand je leur faisais visiter l'intérieur, quand on
entrait dans le grand hall médiéval et qu'ils voyaient
l'état de délabrement, la plupart renonçait. À force,
j'ai fini par penser que je pourrais tirer sur le fil
encore longtemps, à faire visiter le château comme
un guide touristique à des gens qui n'achèteraient
jamais, et habiter là, dans la maison de gardien,
jusqu'à mes vieux jours.

Quarante-cinq mètres carrés en arrière de la mer,

le vent fort quelquefois mais d'épais murs de pierre, après tout, pour nous deux ça suffisait, je veux dire, pour Erwan et moi, les deux chambres et le salon, même s'il n'y avait pas beaucoup de lumière, même si les loirs avaient fait leur nid dans la laine de verre, même si les aiguilles des pins empêchaient le gazon de pousser à l'ombre des branches si persistantes – il y a toujours eu cela ici, des arbres persistants qui l'hiver empêchent le peu de lumière d'entrer là, dans le salon ou la cuisine, du moins autrement que filtrée par les arbres, comme si leur lot de pelures vertes et brunes, ils la reversaient directement là, sur le carrelage de la cuisine, mais ça ne m'a jamais dérangé – moi, je ressemble à cela aussi, un vieux pin persistant.

Erwan le dit quelquefois désormais, que je suis un vieil arbre incapable de bouger, sûrement la même vieille écorce sèche et presque venimeuse qui depuis tout ce temps s'enracine sous les murs – lui, Erwan, il a grandi si vite ces dernières années, et ce qu'ils changent alors, nos enfants, c'est à peine si on a cligné des yeux qu'ils semblent aussi vieux que nous.

Quel âge il a désormais ? a demandé le juge.

Dix-sept ans. Je devrais dire, dix-sept ans seulement, comme si les six années qui viennent de s'écouler auraient aussi bien pu en durer vingt. Alors maintenant vous comprenez, toutes ces années qui ont passé, toutes ces visites surtout que je peux faire chaque semaine à mon propre fils derrière la vitre d'un parloir en attendant qu'il sorte, oui, maintenant je revois toute l'histoire différemment. Mais ce jour-là, dans le parc avec ma tondeuse renversée, Erwan et son ballon dans les bras, ce jour-là quand Antoine Lazenec est arrivé, comment on aurait pu lire notre avenir à nous, Erwan ou moi, entièrement sur sa peau ? Et c'est vrai, je n'ai pas l'habitude de juger les gens au premier regard, pour moi c'était un visiteur normal, un simple visiteur, comme il y en avait souvent le samedi après-midi, et qui semblait profiter que ce soit ouvert pour venir faire un tour.

Et c'est seulement quand lui comme moi on a entendu des pas pressés sur le gravier, c'est seulement quand j'ai vu Martial Le Goff arriver du fond de l'allée, alors je me suis dit que ce n'était pas comme d'habitude, parce que d'habitude, non, le maire ne venait pas pour accueillir tel acheteur éventuel, encore moins se serait excusé d'être en retard comme il a fait, tout essoufflé d'avoir couru et comme s'il avait craint de manquer le début, lui, tout en sueur à cause de son poids – Le Goff, oui, il était plutôt gros, gros comme on imagine un maire de village, avec de la couperose comme on imagine un maire de village, de la couperose un peu comme moi, et pour cause : on a dû boire à peu près au même rythme toute notre vie, et même souvent ensemble, puisqu'on se connaissait bien tous les deux, toutes ces années au conseil municipal à voter les mêmes projets, tous ces casiers qu'on a remontés ensemble avec son petit bateau de pêche, quand alors on pouvait passer la journée en mer à rien faire d'autre qu'observer l'ombre des poissons sous la surface de l'eau.

Et puis on était voisins. Depuis ma chambre, au loin je pouvais voir la silhouette de Catherine éplucher ses légumes dans l'évier, lui dans l'arrière-plan se servir un whisky devant les informations télévisées.

Et puis on portait le même prénom. Oui, c'est drôle, on s'appelait Martial tous les deux, en plus d'être du même bord politique, alors peut-être, tout ça, ça nous a rapprochés, si je peux dire qu'on a été proches, Le Goff et moi.

Et puis il fut un bon maire. Un temps, il fut un bon maire pour la presqu'île. Mais enfin ça fait bien longtemps que Le Goff n'est plus maire, d'ailleurs il n'est plus homme non plus – paix à son âme. Mais ça aussi, j'ai dit au juge, ça aussi, c'était sûr que ça devait arriver, qu'il y en ait un au moins qui finisse comme ça – suicidé.

Il n'a pas réagi, le juge. Toutes ces fois où j'ai lancé des phrases comme des flèches dans l'air en cherchant où exactement elles retomberaient, sur quel dossier elles viendraient se planter ou rebondir et s'étendre sur la surface de son bureau comme autant de récits futurs, non, il n'a pas réagi. Pourtant, il y avait encore l'écho de la balle de son fusil de chasse à lui, Le Goff, qui résonnait dans toute la ville, sans qu'on ait vraiment élucidé les raisons de son geste, ou plutôt sans qu'on ait jamais voulu le faire – rien d'autre que quelques suggestions prudentes de journalistes locaux, comme confites dans des titres évasifs, du genre « le suicidé de la presqu'île » ou « étrange mort d'un maire », en lui prêtant des problèmes d'alcool et de mariage. Mais ce n'est pas ça, j'ai dit. Martial, il n'avait pas de problème de mariage. Si c'était un problème de mariage, j'ai dit au juge, c'est plutôt moi qu'on aurait pu retrouver un matin effondré sur le sol.

À ça non plus il n'a pas réagi, le visage de plus en plus illisible, et comme si maintenant il m'avait laissé seul à seul avec la parole, avec le désordre de la parole et mille pensées s'embouchant comme dans un entonnoir dont, peut-être, il essayait de comprendre les lois internes de sélection.

Bon mais toujours est-il qu'il était encore vivant et maire à part entière, Le Goff, oui, bien vivant ce samedi-là quand avec Lazenec on l'a vu arriver depuis la route, se déhanchant comme il pouvait sur les graviers de l'allée, s'excusant par deux fois d'être en retard en s'essuyant le visage de son mouchoir en soie. Et je vous jure qu'ils avaient l'air de bien se connaître, tous les deux, du moins si j'en juge par les gestes amicaux qu'ils échangèrent, et s'appelant par leur prénom – Martial pour l'un, Antoine pour l'autre.

Vous vous êtes présentés ? a demandé Le Goff.

Non, j'ai dit, pas vraiment.

Alors l'autre, le cow-boy comme je l'appelle quelquefois, il a fini par me regarder dans les yeux, sa main plutôt ferme dans la mienne et il a dit : Lazenec. Mais rien de plus. Il n'a rien dit de plus sur lui, comme si ce nom à lui seul avait suffi à le faire briller dans le ciel des noms propres. Sauf que moi je n'avais jamais entendu ce nom-là, encore moins qu'on était censé l'accueillir comme le messie, du moins toutes ces choses que Le Goff m'expliquerait un peu plus tard, quand ledit Lazenec serait reparti, et qu'alors au maire je dirais : Il faut que vous m'expliquiez.

Oui, il faut que vous m'expliquiez, j'ai dit à Le Goff quand Lazenec fut parti, qu'il eut terminé la visite du domaine, fait le tour de toutes les pièces sans trop s'intéresser aux détails et on aurait dit que c'était lui qui nous faisait la visite, tellement il nous précédait dans les couloirs et les chambres, et je me souviens que plusieurs fois, quand il a regardé dehors depuis les fenêtres de l'étage, plusieurs fois il a dit : Il y a du potentiel ici, vous aviez raison, Le Goff, il y a du potentiel. Et regardant le terrain qui dévalait en pente douce jusqu'à la mer, les pins alignés qui faisaient comme une allée royale vers l'eau, il a dit que ça lui plaisait beaucoup. Et il répétait ce mot-là, potentiel.

Là, debout de dos devant les vieilles fenêtres de chêne, c'était comme s'il avait serré le ciel dans ses bras, la vue qu'on avait jusqu'au goulet, la ville un peu blanche qui descendait comme en escalier, tout ça, oui, il le tenait déjà sous son regard, et jusqu'au nom de Le Goff qu'il faisait prisonnier dans ses phrases. Mais je ne dirais pas que je l'ai trouvé antipathique ce jour-là, non, ce n'est pas le mot qui convient, et même, si quelque chose de sombre avait seulement été écrit, même à l'encre invisible ce jour-là sur le verre des fenêtres, cela se saurait et moi je n'aime pas tirer des flèches trop lumineuses depuis le passé lointain pour éclairer le présent, je veux dire, je sais bien qu'il n'y a pas de boussole revenue du fond des mers pour nous indiquer le nord, et souvent c'est plutôt le contraire : c'est le présent qui jette sa lumière vers les grands fonds marins.

Même, quand j'y repense, vous savez ce qui frappait le plus au fond, ce qui frappait le plus au milieu de cette visite ? Eh bien, je crois, c'était sa banalité. Oui, sa banalité. Le genre de gars que vous croisez dans la rue avec un attaché-case, dedans il y a peut-être des liasses de billets de banque ou des kilos de cocaïne mais vous, vous pensez qu'il y a seulement des polices d'assurance ou des catalogues de surgelés – n'était peut-être sa voiture de sport, comme on n'en voit pas beaucoup dans la région, une Porsche pour être précis, encore que moi tout seul je n'aurais pas su dire ce que c'était mais Erwan était là, Erwan a tout suivi lui aussi de la visite, alors plus tard quand on l'a vu s'éloigner dans son nuage de poussière blanche, Erwan a dit : C'est une Porsche, c'est une 911. Et du haut de ses dix ans, il a ajouté : Est-ce qu'il va acheter le château ?

Alors j'ai regardé Le Goff et j'ai répété la phrase d'Erwan, j'ai dit : C'est vrai, est-ce qu'il va acheter le château ?

Et Le Goff m'a regardé à son tour, il a ouvert des yeux plus ronds que d'habitude et il a dit : Kermeur, vous ne lisez pas les journaux ?

Et j'aurais pu répondre que si, normalement si, et que seulement quelquefois, pourvu que je sois un peu plus las que d'habitude – de fait, ce matin-là je n'avais pas acheté le journal. Alors Le Goff a sorti de sa poche arrière l'exemplaire du jour qu'il a déplié sous mes yeux, avec en énorme écrit quelque chose comme « de grands projets pour la presqu'île » et puis dessous la photo d'un type un peu chauve à la chemise ouverte, de sorte que je n'ai pas eu à hésiter sur qui c'était, encore moins sur ses intentions quand à côté il y avait un entretien qui disait tout des projets en question, c'est-à-dire quand, en balayant la page entière du regard comme si j'y cherchais déjà la solution d'une énigme, je suis tombé sur des mots écrits plus gros que les autres et qui feraient comme une déflagration dans ma tête, lisant les phrases qui contenaient d'étranges expressions comme « complexe immobilier », comme « investissement locatif », comme « parc résidentiel », et puis, sur le côté en bas, comme une sorte de conclusion fébrile que le journaliste avait cru bon d'augmenter d'un point d'exclamation, il était écrit : « une station balnéaire ».

Une station balnéaire, j'ai dit au juge, vous entendez, une station balnéaire dans la rade de Brest. Et j'ai continué à lire l'article ligne à ligne, avec de grandes phrases du genre que ce qui manquait à cette région, c'était seulement la foi et le courage d'envisager l'avenir, qu'il y avait là un potentiel inexploité, déclarait-il, qu'on était assis depuis des générations sur un tas d'or recouvert de choux-fleurs et d'artichauts quand désormais s'ouvrait à nous l'ère nouvelle du tourisme et du développement, qu'il était temps de préparer notre entrée dans le nouveau millénaire, de sorte qu'à la fin de l'article on aurait dit une sorte d'archange descendu du ciel des grandes villes pour venir fleurir nos consciences, d'abord les désherber comme il faut, nos consciences, et puis déposer des graines dans nos cerveaux en espérant y faire pousser un boulevard – et mieux qu'un boulevard, des immeubles de cinq étages tout de verre et de bois exotique, avec des solariums, des ascenseurs vitrés et des piscines chauffées. Mais l'expression qui me restait sous le crâne en guise de point d'orgue qui n'en finissait pas, ce n'était pas seulement « immeuble » ou « solarium », non, c'était « station balnéaire ».

Pourtant nous étions rodés, nous, les habitants, habitués à voir débarquer de temps à autre un hurluberlu qui nous prenait de haut, expliquant qu'on ne savait pas s'y prendre avec notre paysage, nos kilomètres de côtes sans un hôtel-restaurant ni un parking digne de ce nom, sans une résidence un peu luxueuse pour profiter de la vue, avec cette lumière si belle qui traverse la roche en fin d'après-midi, le calme des fougères qui ont l'air d'absorber toute la douleur du vent – bien sûr, moi aussi je peux vous vanter les lieux, moi qui les aime plus que tous les margoulins de la terre.

La brume qui va et vient devant le soleil pâle.

La frondaison des arbres quand les tempêtes s'éloignent.

Mais ce n'est pas comme ça qu'on vit avec les choses, pas en les vantant à tue-tête dans les colonnes des journaux.

Là, dans le parc du château, tandis que la Porsche avait disparu depuis longtemps, j'ai pris le temps de lire l'article en entier, et je me disais que ce n'était pas possible, non c'est dingue, j'ai dit à Le Goff, que je sois le dernier au courant.

Mon vieux Kermeur, a dit le maire, on ne vous a pas beaucoup vu ces derniers temps.

Je me souviens d'avoir essayé de comprendre ce que signifiait l'expression « ces derniers temps ». Ces derniers temps, c'est vrai, j'étais plutôt enfermé chez moi, à trop regarder la télévision ou je ne sais pas, biner mes plates-bandes au pied des murs de pierre mais sans trop me retourner vers la rue ni le bourg ni rien de ce qui se passait pour ainsi dire dans mon dos, déjà cultiver mon jardin et m'occuper d'un fils, à bientôt cinquante ans, ça me semblait plus qu'assez.

Vous avez sans doute raison, j'ai dit à Martial en

lui rendant le journal, je me suis trop isolé ces derniers temps.

Et repliant le journal dans sa poche arrière, il a ajouté : Kermeur, ce gars-là, c'est la providence qui le met sur notre chemin.

En matière de providence, c'est sûr, on a été ser-
vis, quand bientôt ce ne serait plus seulement une
rumeur installée qui courrait dans la ville mais
l'annonce en grande pompe de notre avenir à tous,
là, dans la grande salle de la mairie – oh il ne faut
pas imaginer une immense salle comme dans les
grandes villes avec des lustres en cristal et des baies
vitrées qui racontent à tout le monde le bonheur
des mariés, non, seulement une pièce un peu plus
grande que les autres, un peu plus lumineuse aussi,
avec un parquet mieux ciré qui sait retenir les rayons
du soleil le matin vers 11 heures – moi, je ne sais
pas pourquoi, j'ai toujours aimé plus que tout la
lumière de 11 heures quand elle entre ainsi les jours
de fête, du moins s'il faut nommer « jour de fête »
l'invitation de Le Goff ce matin-là pour nous présenter la maquette du projet, avec les architectes et
Lazenec bien sûr en première ligne autour de lui,
comme une sorte d'inauguration miniature, j'ai
pensé, avec déjà les cinq cents verres disposés sur

les nappes de papier et qui avaient l'air d'assister eux aussi à la cérémonie, si c'est encore le mot qui convient, cérémonie. En tout cas ça m'a fait quelque chose de nous voir tous réunis, les habitants de la presqu'île, plusieurs centaines ensemble et comme concernés, oui, ça m'a fait quelque chose.

Il y avait encore le drap de feutre rouge qui la recouvrait, la maquette, que Le Goff lui-même, du geste le plus fier, le plus auguste de tout son mandat, retirerait après avoir fini son discours, et quel discours, avec le micro qui sifflait à moitié, qu'en cette fin de siècle difficile, a dit le maire, quelqu'un enfin avait osé trancher dans la grisaille des temps, et qu'alors on pouvait remercier – et le mot qu'il a dit, je vous le donne en mille : la providence –, oui, qu'on pouvait remercier la providence, a-t-il dit, d'avoir amené chez nous Antoine Lazenec, lui qu'il était désormais inutile de présenter, lui qu'on avait vu dans tous les endroits où il était nécessaire qu'il fût vu – cela, non, il ne l'a pas dit comme ça, qu'on l'avait vu partout ces derniers mois, dans le journal local, dans les tribunes du stade, dans tel banquet caritatif organisé par leur club au nom d'animal, comme s'il avait eu le don soudain de l'ubiquité, de sorte que tout le monde depuis long-temps avait mis un nom sur son visage, ce même visage qui bouffissait à vue d'œil à force de ren-dez-vous d'affaires dans les grands restaurants, nous, les habitants de la presqu'île, nous, les ouvriers de l'arsenal ou bien les employés du port, on aurait dit qu'on le regardait en souriant piétiner nos plates-bandes, ces mêmes plates-bandes où nous tous on avait cultivé nos vies sans même connaître son existence, et où c'est sûr qu'on n'avait pas besoin d'engrais pour que ça pousse plus vite.

Lui, Antoine Lazenec, il a fait comme un pionnier qui débarque sur une nouvelle terre. Nous, en Indiens effarés et naïfs, on a hésité sûrement entre une flèche empoisonnée et l'accueillir à bras ouverts, mais il semblerait bien qu'on ait choisi la deuxième option. Ce matin-là, dans la salle de la mairie, quand il a reçu le micro de la main de Le Goff, on a tous eu cette impression-là, qu'il y avait comme un projecteur qui aussitôt s'était braqué sur son visage, comme si tout un village à l'unisson attendait cela, la parole d'un promoteur.

Il a pris le micro et remercié d'abord Le Goff, et puis bien sûr les architectes, comme des momies en vestes noires qui ne disaient pas un mot, et puis toutes les figures locales qui lui ouvraient leurs portes – mais les portes de quoi, monsieur le juge, je vous le demande, les portes de quoi ? –, sans oublier personne, ni un banquier ni un maire ni un vice-président ni tous ces gens qu'il semblait avoir rencontrés dans les souterrains de la ville, entrepreneurs en tous genres qui déjà se frottaient les mains d'avoir signé le plus gros contrat de la décennie, c'est-à-dire, à ce moment-là, ne regrettaient pas d'avoir sacrifié leurs dimanches pour arpenter les terrains de golf ou boire une énième coupe dans tel bar de nuit où se concluent les affaires. Ce n'est pas à vous que je vais apprendre ça, j'ai dit au juge, vu qu'en tant que juge, on est censé avoir comme une vue panoptique sur les affaires de la ville – pas au début, bien sûr, mais peu à peu, au fil des jours, parce qu'à force d'enquêtes, je n'en sais rien parce que je ne suis pas juge mais j'ai l'impression que c'est comme si on montait en ballon au-dessus des immeubles, qu'à chaque nouvel indice on alimentait la chaudière pour s'élever un peu plus haut et qu'à la fin, à la fin on survole la ville, les liens de la ville avec elle-même et alors on commence à voir des routes nouvelles, pas seulement les rues commerçantes qui grouillent de monde le samedi après-midi, pas seulement le vent qui s'engouffre dans les rues traversières, mais des nouvelles rues, comment dire, plus aériennes, plus invisibles, des rues qui n'existent pas sur les plans, des avenues virtuelles qui déchirent la carte, de la mairie vers l'hôtel des ventes, et de l'hôtel des ventes vers la Banque de l'Ouest, du port de commerce au tribunal, sauf qu'à la place des gens qui circulent, dans ces rues-là, dans ces avenues qui font comme des fêlures plus violentes que celles des architectes, il y a sur-tout, quoi, des paroles secrètes, des paroles et de l'argent bien sûr, et puis même, des filles bien sûr, ou non pas vraiment des filles mais disons, du sexe, c'est-à-dire, à la fin, si on additionne tout, les paroles, l'argent, le sexe, eh bien, on a tout. Oui, tout.

Et après ça, il y a eu comme un silence entre nous, le juge et moi, comme si on avait eu envie de réfléchir un instant au moyen d'endiguer ça, non pas les événements eux-mêmes – cela, c'était trop tard depuis longtemps – mais notre écœurement dans le ciel gris de la fenêtre.

Et c'est un fait que les gens comme moi, j'ai repris, on ne sort pas assez pour avoir toutes les clés de la ville. Pourtant, de chez nous, la ville, c'est seulement quoi ? Douze kilomètres à peine, mais enfin, il y a le pont, et un pont, peut-être que c'est censé rapprocher mais ça reste un pont, avec la mer dessous qui monte toutes les douze heures et rappelle qu'on habite une presqu'île, et qu'alors pour des gars comme moi ou Le Goff, il restera toujours un océan en dessous qui nous sépare de certains endroits.

Vous auriez dû voir ça, quand il a soulevé le drap rouge et qu'on s'est tous approchés : là, dans un rectangle de verre d'au moins deux mètres sur trois, éclairé du dessus par deux spots verticaux, il y avait toute la presqu'île posée là, en modèle réduit, les champs et les roches, les fermes et les maisons, l'église et la place du village.

Notre presqu'île, j'ai pensé.

Et on a applaudi. Je ne sais pas quoi exactement, l'instant, la maquette, ou bien Lazenec lui-même, on a applaudi. Là, cette maquette autour de laquelle on se bousculerait bientôt, tous penchés et admirant le sens du détail, cherchant chacun sa propre maison sur les chemins de plastique, c'était comme un circuit de train électrique dans la vitrine d'un magasin de jouets.

Sauf qu'au lieu du train électrique, ce qui aussi vite capturait l'attention, c'était les cinq futurs immeubles qui se dressaient face à la mer, debout plus haut que tout le reste, faisant ombre au château, et le parc lumineux qui les entourait. Et ils avaient poussé le vice à mettre des petits bonshommes posés sur les terrasses face à la mer, ou pas vraiment la mer mais le morceau de plastique bleu qui représentait la mer, la longue plage de vrai sable qu'ils avaient prélevé à l'emplacement même du projet, de sorte que même les petits arbres en plastique au pied des immeubles, on aurait dit qu'ils avaient poussé pendant la nuit. Un temps, ce matin-là, on a tous habité là, dans ce rectangle de verre où ni la pluie ni la poussière jamais ne pénétreraient. Et on était comme aimantés par le futur.

Une simple maquette, oui, mais déjà le soleil avait l'art de se refléter sur les vitres et les lignes d'aluminium, comme si soudain, à cause de cette vue aérienne qu'on avait, à cause de ce corps-à-corps absurde et millénaire de nous avec le littoral, pour la première fois, de le voir réduit à si petite échelle, on en sortait vainqueur. Je me souviens d'en avoir croisé ce matin-là, des gens qui mettaient la main sur le prospectus à l'entrée, écrit en gros « Les

Grands Sables, un avenir pour la presqu'île » avec au dos sa tête à lui, Lazenec, comme un tract à une élection municipale.

Pourtant, j'ai dit au juge, si la France, c'est un tapis de casino, alors ici tout le monde sait qu'on est à 100 contre 1, et il fallait être joueur, vraiment joueur pour vouloir braver les lois rodées de l'économie locale et conquérir une population depuis longtemps rompue à l'échec, depuis longtemps fatiguée de tant de spectres ou de promesses qu'on lui avait si souvent vendus dans les journaux locaux, sans que jamais l'un ou l'autre voie seulement son commencement. À croire que les temps changeaient, n'est-ce pas, à croire que quelque chose de plus urbain s'étendait jusqu'à nous et que cela nous semblait dans l'ordre des choses.

Peut-être, j'ai dit au juge, peut-être que désormais c'est comme ça partout, dans tous les endroits dont on ne sait pas encore s'il faut les appeler vraiment des villes – autrefois villages, c'est sûr, mais partout où le béton a recouvert les plaines, où les racines se vengent en fissurant les cours d'école. Ici comme ailleurs, j'ai dit au juge, ça a toujours été un casse-tête quand il fallait poser les nouveaux panneaux d'agglomération, comme si on n'avait jamais trop su ce qui justifiait les frontières ou ce qui les déplaçait encore : terrains vagues ou agricoles gagnés un à un par quelque promoteur visionnaire ou plutôt se croyant visionnaire, et puis finalement le devenant puisqu'il a suffi quelquefois que tel ou tel plan de bâti se présente au conseil municipal pour que déjà la maquette se dresse d'une nouvelle occupation des sols.

Je sais de quoi je parle. J'y ai été moi aussi, au conseil municipal. J'aurais mieux fait d'y rester, n'est-ce pas, si maintenant je crois savoir quelle décision il aurait fallu prendre mais j'aurais fait comme tout le monde, quand de droite ou de gauche on se partageait sans trop de mal les sièges du conseil, et pour moi c'était d'autant plus confortable que j'étais dans la majorité. Parce qu'en ces années-là, quand on était socialiste, on avait toutes les chances d'être dans la majorité. Déjà que même au niveau du pays entier, on était socialiste. Déjà qu'on avait gagné deux fois de suite les élections nationales.

Vous étiez trop jeune, j'ai dit au juge, mais il faut se rendre compte de ce que c'était pour nous, 1981. Une année, c'est une drôle de chose, la teinte qu'elle prend et les visages qui en surgissent encore trente ans plus tard, et puis voilà, surtout, 1981, c'est l'année de naissance d'Erwan.

Pour tout vous dire, j'ai dit au juge, c'est même à la clinique qu'on a vu se dessiner sur l'écran de télévision la tête du président Mitterrand, ça, on n'est pas près de l'oublier, le décompte du présentateur qui avait l'air d'aider ma femme à accoucher, de sorte que le lendemain, le lendemain, oui, on avait un fils, et c'est comme si les klaxons dans les rues toute la nuit, ils avaient été autant pour l'arrivée d'Erwan que pour le nouveau président. D'autant

48

qu'avec les années depuis, le bruit des klaxons, ça fait longtemps qu'il s'est retiré loin dans nos cerveaux, vu que ça s'est comme rétréci, en tout cas dans ma tête, oui, ça s'est comme rétréci – les événements de nos jours se rabougrissent. Ça n'existe peut-être pas, ce verbe-là, rabougrir, mais moi je tiens à l'inventer pour l'occasion, pour une fois que je parle des vingt ou trente années qui viennent de passer à travers nous, ou à côté de nous, ça non plus je ne sais pas trop comment le dire, mais de fait, fut un temps où on a senti un peu de vent qui soufflait. Ce n'est pas que la mer soit d'huile aujourd'hui mais moi peut-être, je n'ai plus les oreilles pour le sentir, le vent qui souffle. Erwan pense ça. Erwan me l'a dit souvent, que désormais j'étais trop fatigué pour entendre le vent ailleurs que sur la mer, que j'avais vieilli plus vite que la vie normale, tandis que lui, c'est sûr, ce genre de vent, il continue de souffler très fort en lui, aussi fort que la musique qu'il écoutait dans sa chambre. Et maintenant j'aimerais bien qu'elle y résonne encore, la musique, dans sa chambre.

Mais j'étais fatigué et puis donc Erwan grandissait, alors je me disais que ce serait bien d'avoir du temps pour m'occuper de lui, et je ne me suis pas représenté. Grand bien m'en a pris, n'est-ce pas, vu que c'est à peu près à ce moment-là que ça a commencé à flancher avec France – elle s'appelait France, oui, la mère d'Erwan, enfin, elle s'appelle toujours France mais disons que moi c'est devenu rare que je l'appelle par son prénom. Elle pense que c'est de ma faute, tout ce qui est arrivé depuis, elle dit que c'est de ma faute. Peut-être qu'elle a raison. Je lui ai dit ça un jour : Tu as peut-être raison, tout ce qui s'est passé, c'est sans doute de ma faute.

Toujours est-il que ça a correspondu, qu'au moment où j'ai quitté les affaires publiques, elle a commencé à trouver que je passais trop de temps à la maison, comme quoi nous, les hommes, il vaut mieux qu'on soit très occupés, sinon visiblement on devient insupportables, en tout cas les femmes elles nous trouvent vite insupportables, à se poser devant la cheminée pour fumer plutôt que, je ne sais pas, laver les vitres ou passer l'aspirateur, alors qu'on peut rentrer à minuit tous les jours d'une réunion municipale, elles trouvent ça normal. Elle n'a jamais compris ça, je crois, les heures vides dans le salon, la lecture du *Télégramme* si d'aventure j'avais le courage d'acheter le journal et de m'installer là, dans le canapé, pour le lire intégralement. Alors c'est sûr qu'il valait mieux qu'elle parte, dès lors que le nombre d'heures, ces dernières années, je l'ai multiplié au moins par deux dans le canapé, devant le miroir qui surplombe la cheminée, ce même miroir avec le verre tellement piqué, tellement opacifié que souvent quand je le regarde, je vois à peine le reflet de mon visage, plutôt des ombres et des masses qui ont l'air de passer devant. J'ai insisté pour qu'elle me laisse ça, le miroir sur la cheminée. Et ce n'est pas que je ne veux pas voir ce qui se reflète dedans, j'ai dit au juge, mais c'est plus fort que moi, à force de le regarder, je me retrouve comme pris dans l'épaisseur du verre, le cerveau capturé par le brouillard qu'on pourrait confondre avec n'importe quel matin d'hiver quand le soleil essaye de se refléter dedans, mais comme pâli ou trompé par la texture opaque de la glace. Et plus on s'en approche, plus on est happé par les piqûres nuageuses du verre. Quelquefois je m'y perds, dans les brumes du miroir, dans le reflet indécis de moi, quelquefois même je suis content de m'y perdre, mais quelquefois aussi, j'ai dit au juge, quelquefois je suis en colère contre la brume.

J'aurais préféré, il a dit, que vous restiez en colère contre la brume et seulement la brume.

Oui c'est sûr, j'ai dit.

Et pour ne pas trop soutenir son regard, j'ai baissé les yeux sur le code pénal posé verticalement sur le bureau, n'osant pas remonter d'un centimètre le long de la couverture, comme une muraille trop haute qu'il aurait fallu escalader pour au moins voir ce qu'il y avait de l'autre côté – comme si de l'autre côté des lois, de l'autre côté des articles et des alinéas, dans son regard c'était déjà, non pas les délits et les scènes spectaculaires des délits, mais seulement les punitions et les châtiments, de sorte que là, par-delà le livre, sur le visage du juge que je ne voulais pas regarder, ne se dressaient plus déjà que les coursives de la prison où je me voyais me promener, la tête basse et les mains menottées et regardant la rade depuis les fenêtres d'en haut, en attendant la visite de France. Mais ça, encore, je me suis dit, ça a peu de chances d'arriver.

Enfin donc voilà, j'ai dit au juge, il s'est mis tout le monde dans la poche. Et maintenant je dis : si on pouvait seulement entrevoir le démon dans le cœur des gens, si on pouvait voir ça au lieu d'une peau bien lisse et souriante, cela se saurait, n'est-ce pas ?

Alors le juge a posé les yeux sur son bureau, ayant l'air de chercher quelque chose parmi les mille papiers accumulés, ouvrant une chemise après l'autre et puis il a mis la main sur une photographie, il l'a regardée un instant et puis il l'a fait glisser devant moi, une photo découpée dans la presse, prise ce jour-là avec lui, Lazenec et puis lui, Le Goff, et quelques autres encostumés qui remplissaient le cadre – eux tous devant la maquette, souriant comme des enfants sur une photo de classe.

Regardez-le, j'ai dit, à quoi il ressemble ? À vous, à moi.

Eh bien quoi, il a dit, vous ne voulez pas que le diable ressemble à Robert Mitchum ?

Non c'est sûr, pas Robert Mitchum – encore

qu'une photo comme ça, on pourrait bien la voir dans un film, avec les visages qu'il suffirait d'entourer au feutre noir, et punaiser l'ensemble sur le tableau de liège d'un commissariat. Mais j'ai beau jeu de dire ça maintenant, quand ce matin-là, parmi les verres de vin blanc qui commençaient à circuler, même le mot promoteur apparaissait ensoleillé.

Je me souviens de la voix de Le Goff se pavanant lui aussi devant la maquette et me disant : Ça fait vrai, hein ? en même temps qu'il me tapotait l'épaule, comme s'il avait cherché à retrouver là quelque chose d'amical qui nous aurait quittés, quelque chose qu'à partir de maintenant on aurait risqué de perdre, à force qu'il se déplace dans la foule avec la même vigueur que s'il avait fêté sa victoire aux élections, comme si soudain, là, à la vue de la maquette, il avait justifié ses deux mandats de maire devant toutes les huiles régionales qui avaient fait le déplacement, les mêmes qui une à une égraineraient leurs discours pour faire l'éloge de l'avenir ou bien ironiseraient sur le climat. Ce jour-là, j'ai compris que c'était bien ici, malgré la brume qui ne se lève pas sur les chantiers navals, malgré le vent qui souffle deux jours sur trois, c'était bien ici, oui, qu'ils avaient décidé d'implanter ça, une station balnéaire – et quoique l'expression elle-même, ils se sont bien gardés, les uns ou les autres, de la prononcer, seulement des mots plus modestes comme « résidence » ou « complexe », oui, ils aimaient ce mot-là, « complexe immobilier ».

Finalement, j'ai dit au juge, ça ressemblait à un mariage. Même les femmes avaient soigné leur tenue. Même les enfants couraient partout – sauf Erwan. Erwan est resté à côté de moi tout le temps. Je m'en souviens très bien, parce que c'était la veille de ses onze ans et que l'après-midi je lui avais promis qu'on irait en ville pour son anniversaire, pour acheter une nouvelle canne à pêche. Oui, il avait onze ans seulement quand cette histoire a commencé, encore la voix fluette et sûrement pas l'idée de se percer les narines. C'est sûr qu'aujourd'hui je ne peux plus passer la main sur sa tête comme j'ai fait ce jour-là, c'est sûr qu'il ne me regarderait plus en levant les yeux vers moi pour dire : Est-ce qu'on va acheter un appartement dans la maquette ?

Et moi, je me souviens très bien, en souriant j'ai répondu : Non, je ne crois pas, Erwan, ce n'est pas un projet pour nous.

Il y avait Le Goff pas très loin qui m'avait entendu, alors il s'est penché vers Erwan et il lui a dit :

Ton père, tu sais, c'est pas le genre de gars à se lancer dans l'immobilier...

J'ai souri sans répondre, et pour cause, je n'avais rien à dire, pas plus avancé sur tout ça qu'un gosse de dix ans, pas plus qu'Erwan regardant la maquette comme un jouet qu'il aurait aimé construire. Et si j'avais pu comprendre ce matin-là dans quel engrenage sa pensée irait bientôt se glisser, si j'avais pu comprendre qu'à dix ou onze ans on est déjà si poreux aux affaires d'un père, alors c'est sûr que je l'aurais forcé à aller jouer à cache-cache ou je ne sais quoi avec les autres enfants.

Et peut-être que Le Goff me trouvait un peu lointain, ou inquiet, je ne sais pas, alors il s'est senti obligé d'ajouter quelque chose comme : Martial, faut pas vous en faire, pour nous, vous serez toujours notre régisseur.

Justement, j'ai dit, je voulais vous en parler, ça me gêne un peu de vous demander ça, mais on se plaît bien ici avec Erwan, alors est-ce que vous croyez que je pourrais rester habiter là avec tous ces grands projets ?

Pas loin il y avait Lazenec lui-même – lui qui tout ce temps n'a jamais dû s'éloigner à plus de trois mètres de la maquette, comme s'il fallait toujours que son ombre s'étende par-dessus les immeubles et les espaces verts, par-dessus les petits bonshommes sur les terrasses des toits – lui, Lazenec, on aurait dit comme un nuage de pluie qui leur cachait le soleil. Alors Le Goff en a profité pour lui faire signe. Et il s'est approché de nous.

Monsieur Lazenec, a dit Le Goff, vous connaissez Kermeur ?

Bien sûr, il a répondu.

C'est qu'il aimerait bien savoir pour sa maison à l'entrée du parc si toutefois...

Et il n'a pas eu le temps de finir sa phrase que Lazenec a lancé : Ah oui, c'est vrai, vous m'avez parlé de cette petite servitude.

Servitude ? j'ai dit, quelle servitude ?

Et c'est Le Goff que j'ai regardé à ce moment-là, qui lui-même ne pouvait pas s'attendre à l'emploi d'un mot pareil, mais il n'allait pas contredire l'autre, alors il s'est débrouillé avec ce qu'il pouvait, avec des « c'est-à-dire », des « enfin » et des « vous voyez », pourvu qu'à la fin, je comprenne que « servitude », ça ne voulait peut-être pas dire esclave, mais enfin ça voulait quand même dire « épine dans le pied ».

Alors l'autre, le cow-boy, avec encore une main dans la poche, il a fini par me regarder dans les yeux et il a dit : Oui, bien sûr, il faudra qu'on en reparle. Et comme s'il voulait changer de sujet, je ne sais pas si c'est d'instinct ou quoi, à ce moment il a regardé Erwan, et il lui a demandé s'il aimait le football. Vous entendez, j'ai dit au juge, il n'a pas dit : « ne vous inquiétez pas » ni « bien sûr on s'arrangera », non, il a demandé à un gamin de dix ans dont il avait repéré l'écharpe rouge et blanche autour du cou, il lui a demandé s'il aimait le football. Alors Erwan m'a regardé comme s'il hésitait à répondre, parce qu'il était comme ça, Erwan, plutôt timide.

Je sais que ça peut vous faire bizarre aujourd'hui d'imaginer Erwan timide mais je vous assure que s'il avait pu se cacher dans ma poche à ce moment-là, il l'aurait fait, au point que c'est moi qui ai répondu, c'est moi qui ai dit que bien sûr, oui, il aimait beaucoup le football.

Je me suis abstenu de lui dire qu'on était abonnés

au stade, que pour rien au monde on aurait raté un match, installés là dans le virage des supporteurs, dans les cris et le froid et les cornes de brume qui retentissent dans la nuit. Je me suis abstenu de lui dire qu'on l'y avait déjà vu, Lazenec, dans sa loge vitrée, les balcons chauffés qu'on réserve aux huiles locales – lui, la chemise ouverte toujours et discutant avec le président du club ou bien tel directeur de supermarché dont le nom était écrit en gros sur les maillots des joueurs, pendant que nous on remontait nos anoraks jusqu'au cou dans le vent de la tribune nord. Je me suis abstenu de lui dire que la première fois qu'on l'y a vu, c'était le même soir que sa pre-mière visite au château : nous, depuis la tribune nord toujours, on l'a reconnu, Lazenec, du moins j'ai compris qu'Erwan l'avait reconnu quand il m'a tiré sur le bras pour me le montrer du doigt, là-haut dans une loge, et me disant : C'est le type de cet après-midi. Et à mon tour j'ai regardé vers les loges du stade. Et alors j'ai mieux compris pourquoi Le Goff courait derrière lui comme une ombre. Mais ce que j'aurais dû penser ce soir-là, ce que j'ai appris à penser depuis, c'est que ce n'est jamais bon signe de croiser deux fois dans la même journée un gars qu'on ne connaissait pas la veille.

Là, dans la salle de la mairie, tandis que la foule commençait à se dissiper un peu et que chacun repartait avec son prospectus et ses rêves balnéaires, Lazenec s'est baissé vers Erwan comme un vieil ami de la famille et il lui a dit : Si tu veux je t'emmènerai la prochaine fois, j'ai des places dans la loge centrale et il y a les joueurs qui viennent nous voir à la fin du match.

Alors essayez d'imaginer, j'ai dit au juge, essayez d'imaginer la lumière qui baignait la rade le jour où il est venu là avec sa voiture de sport et qu'il a emmené Erwan dans la tribune officielle du Stade Brestois. Moi-même ce soir-là, toujours dans le vent à l'autre bout du stade, je pouvais voir mon propre fils bien au chaud derrière une vitre avec des hôtesses qui lui apportaient son jus d'orange sur un plateau, à côté de lui Lazenec, assis là tous les deux à côté du président du club. Oui, essayez d'imaginer quand à la fin du match cette fois, au lieu de repartir avec nous tous un peu avinés, c'étaient les joueurs eux-mêmes qui avaient débarqué dans la loge et donné à Erwan un maillot qu'ils avaient signé. Vous pourriez ouvrir ses placards encore aujourd'hui, il en a au moins une dizaine. Il a même un maillot signé de Juan Cesar. Vous vous rendez compte ?

Oh moi, a dit le juge, je n'y connais rien en foot.

Oui, bien sûr, mais c'est seulement pour dire, toute cette histoire...

Toute cette histoire, a repris le juge, c'est d'abord la vôtre.

Oui. Bien sûr. La mienne. Mais alors laissez-moi la raconter comme je veux, qu'elle soit comme une rivière sauvage qui sort quelquefois de son lit, parce que je n'ai pas comme vous l'attirail du savoir ni des lois, et parce qu'en la racontant à ma manière, je ne sais pas, ça me fait quelque chose de doux au cœur, comme si je flottais ou quelque chose comme ça, peut-être comme si rien n'était jamais arrivé ou même, ou surtout, comme si là, tant que je parle, tant que je n'ai pas fini de parler, alors oui, voilà, ici même devant vous il ne peut rien m'arriver, comme si pour la première fois je suspendais la cascade de catastrophes qui a l'air de m'être tombée dessus sans relâche, comme des dominos que j'aurais installés moi-même patiemment pendant des années, et qui s'affaisseraient les uns sur les autres sans crier gare.

En tout cas ça n'a pas mis longtemps qu'après ça, on commence à voir des costumes de flanelle sillonner les rues des lotissements, s'installer sur les tables basses des salons pour dérouler leurs plans et répéter leurs phrases apprises par cœur, décidés à forcer la vente d'un deux-pièces avec vue sur la mer, en essayant peut-être de cacher leur mépris pour les napperons qui recouvraient les tables dans les salles à manger parce que sûrement, ça ressemblait trop à celles de leurs parents, tandis qu'ils avaient quoi ? Trente, trente-cinq ans à tout casser et que s'ils étaient là, leur mallette à la main comme des hommes d'affaires, chemises roses et chaussures noires en faux cuir, c'était d'abord pour ne pas leur ressembler, à leurs parents, c'est-à-dire à cette génération assise sur telles années fructueuses dont le crépi des façades construites vingt ans plus tôt signalait déjà la fatigue et l'usure, mais qui s'effritait plus vite que le capital encore placé sur les livrets de Caisse d'épargne. Je sais de quoi je parle. J'en avais un, moi aussi, de livret de Caisse d'épargne.

Est-ce qu'ils savaient que sur mon compte il y avait depuis peu les 400 000 francs de l'arsenal ? Non, pas eux. Pas les petits costumes de flanelle. Eux, dès que je les voyais arpenter la rue voisine, on aurait dit, comme des Témoins de Jéovah venus expliquer la Bible, plusieurs fois je me suis caché sous la fenêtre pendant qu'ils sonnaient chez moi – eux, dans le regard, ils avaient cette même étrange lumière qui traversait le seuil des maisons pour apporter la parole divine. Sauf qu'en guise de Dieu, ils avaient Lazenec.

Lui, Lazenec, on aurait dit qu'il avait tout programmé depuis longtemps, comme si à l'âge de quinze ou dix-sept ans il avait tout écrit sur une sorte d'agenda des trente prochaines années, et que c'était suffisamment inscrit dans sa tête pour qu'il ne doute pas un instant de parvenir à ses fins, parce que là-dessus, l'expérience m'a appris que tout dépend du poinçon qu'on utilise pour graver le marbre qui nous sert de cerveau. Et tout dépend de la force qu'on met sur le poinçon. Lui, c'est sûr, il n'aura pas hésité à appuyer très fort à l'intérieur de lui, pourvu de ne pas déroger à ça, cette scarification mentale en quelque sorte, qui l'emmènerait où il voulait. Et nous avec.

Oui, nous avec, j'ai pensé souvent en regardant les deux hectares du domaine qui s'étalaient sous mes fenêtres et commençaient à s'assembler verticalement dans nos têtes, et dans nos têtes seulement, à force de mots comme duplex, comme solarium, comme fitness, et même un jour, je vous jure, un jour il fut installé un panneau à l'entrée du parc, écrit dessus : « Ici, bientôt, le Saint-Tropez du Finistère ».

Alors maintenant, je ne sais pas si ça a joué contre moi d'avoir eu pour ainsi dire un traitement de faveur, je veux dire, de ne pas avoir à traiter avec des petits agents commerciaux qu'on paye à la commission et dont toutes les phrases ont l'air d'être comme des coquillages collés sur le dos d'une baleine. Moi, en un sens, j'ai eu l'étrange privilège de parler au bon dieu plutôt qu'à ses saints, à force que Lazenec vienne là, sur sa propriété – oui, il a fallu que je m'habitue à ça aussi, que le château, cette chose qui avait appartenu à tout le monde pendant trois siècles, maintenant c'était la propriété d'un seul et qui venait toutes les semaines ou presque accompagné de mille instances cravatées, laquelle pour le sol, laquelle pour le cadastre – à force donc, il m'a même appelé par mon prénom, et à force encore, oui, il a fini par m'embrasser.

Vous avez bien entendu, j'ai dit au juge, il m'a embrassé. Vous étiez dans le Sud avant. Vous avez dû en voir, des types qui embrassent tout le monde avec un poignard dans l'autre main. Nous, bien sûr, ce sont des histoires qu'on préfère voir dans le Sud que chez nous. Mais on a beau le savoir, on a beau l'avoir imprimé noir sur blanc dans le fond de son crâne, qu'un type qui vous embrasse si chaleureusement, ça n'a rien de rassurant, oui, on a beau le savoir, quand ça vous tombe dessus, ça ne fait pas pareil.

Peut-être que c'est Le Goff qui avait raison, que j'étais trop isolé ces derniers temps, alors le premier qui s'approche et rompt la solitude, on s'en fiche de savoir qui c'est, pourvu que tout s'engouffre et s'encastre en vous comme une pièce de puzzle que vous auriez découpée exprès pour qu'elle épouse les contours de votre âme. Voilà. C'est peut-être ça, la principale chose que j'ai apprise ces dix dernières années : qu'on finit toujours par aimer qui nous aime.

Ce ne sont pas des choses que je vous aurais dites comme ça autrefois, mais j'ai eu le temps de réfléchir ces derniers temps, j'ai eu le temps de regarder les griffures du miroir au-dessus de la cheminée et méditer la couleur de chaque heure, j'ai eu le temps de comprendre, oui, que j'étais comme une terre de bruyère à la meilleure saison, que tout aurait pris et éclos et fleuri en moi comme en un festival des jardins, au point que Lazenec et moi, eh bien, je crois qu'on a pour ainsi dire sympathisé.

Mais j'espère que vous entendez bien, j'ai dit « pour ainsi dire », parce qu'en réalité, il faudrait mettre un grand silence, ouvrir une parenthèse énorme et qu'on laisserait vide, seulement gonflée de cet air vicié qui commençait à planer sur la rade et parce que voilà, j'ai refait cent fois le chemin dans

ma tête, je vous jure que j'ai cherché quand les choses avaient basculé entre lui et moi et tout ce que j'ai trouvé six ans plus tard, là, devant vous, j'ai dit au juge, tout ce que j'ai trouvé, c'est d'ajouter « pour ainsi dire ». Parce que c'est un problème insoluble, de savoir quand quelqu'un comme lui s'approche de vous, de savoir à quel instant la piqûre a eu lieu.

Et je crois bien qu'à ce moment-là j'ai levé les yeux vers le plafond qui semblait nous servir de ciel tellement notre monde à nous, le juge et moi, se tenait tout entier dans ce bureau.

Bon, mais ça n'empêche, il a repris, il y a bien eu un début pour vous.

Oui, c'est vrai, il y a eu un début pour moi, je devrais dire : une faille. Il y a eu une faille en moi et il y est entré comme le vent, parce qu'il soufflait autant que le vent, toujours prêt à se jeter dans toute brèche ou fissure du faux mur que j'avais pourtant essayé de faire passer pour de la brique, mais enfin je ne suis pas en granit. Sinon, comment expliquer qu'un jour je me sois retrouvé à côté de lui sur le siège passager de sa Porsche, à longer la mer sur la quatre-voies pour aller boire une bière sur le port, sous le seul prétexte de parler de pêche et de bateau, oui, surtout ça, de bateau, puisque justement il venait de s'en offrir un, de bateau, du genre même de celui que je pensais m'acheter avec l'argent de l'arsenal – oui, quelle coïncidence, j'ai dit un jour à Lazenec, parce que je pensais m'acheter le même modèle.

Mais comment j'aurais pu savoir que là, en disant cela, cette phrase échangée comme mille autres sur le seuil de ma porte, quand il allait partir comme d'habitude, qu'on parlait de pêche comme d'habitude, et j'ai eu le malheur de lui dire ça, que j'aimerais m'en acheter un, moi aussi, un Merry Fisher de neuf mètres de long, alors comment j'aurais pu savoir qu'en quelques mots vite prononcés, on pouvait à ce point-là faire son malheur ?

Non. Le malheur, ce n'est pas ça. Le malheur, c'est que j'ai laissé entendre que j'avais l'argent pour le faire, que je pouvais le faire, c'est-à-dire, un gars comme moi, il a pensé, comment c'était possible qu'un gars comme moi puisse se payer un Merry Fisher ?

J'ai bien vu tout de suite qu'il a pensé des choses comme ça, à cause de la manière qu'il a eue de neutraliser son visage, de le figer un peu pour cacher sa surprise. Et alors il a posé la question à sa manière détournée, avec ce qu'il fallait de condescendance il a dit :

D'occasion ?

Neuf, j'ai dit. Je vais en acheter un neuf.

Il est resté comme ça, sans rien dire. Peut-être il a eu un petit mouvement nerveux des épaules. Mais qu'est-ce que vous auriez fait, vous, j'ai dit au juge, devant un visage immobile qui a l'air de supposer que vous lui devez des explications ? Parce que c'est cela qui s'est passé : j'ai imaginé qu'il pensait des choses et donc j'ai imaginé qu'il fallait que j'y

réponde, que là, devant lui, je devais me justifier, de comment c'était possible que moi, Martial Kermeur, ouvrier spécialisé à l'arsenal de Brest, comment moi je pouvais me payer un Merry Fisher de neuf mètres de long à l'état neuf. Alors qu'est-ce que j'ai fait ? Eh bien, j'ai tout raconté. Mon licenciement. Tous les gars de la région qui avaient touché leur prime. Mon indemnité de 400 000 francs. Et j'ai senti que ça l'intéressait beaucoup.

Vous savez à quoi je l'ai senti ? C'est la seule fois où j'ai parlé plus d'une minute d'affilée sans qu'il dise rien. Non, rien du tout, il m'écoutait sans poser une question comme, je ne sais pas, un psychologue la première fois que vous lui racontez votre histoire et qu'il vous laisse la dérouler comme un tapis rouge sous vos pieds. Mais comment j'aurais pu savoir, là, devant le seuil de ma maison, comment j'aurais pu savoir que le tapis rouge, je le déroulais pour lui ?

Mais ce soir-là encore, il est parti comme si de rien n'était, il s'est mis au volant de sa Porsche comme si de rien n'était et puis il est parti. Même, après ça, j'ai dit au juge, vous croyez qu'il m'aurait approché frontalement ? Bien sûr que non. Et puis quoi, vous croyez que j'aurais cédé si facilement ? Bien sûr que non. Après ça, au contraire, il a laissé le temps s'écouler ce qu'il fallait, les jours s'entasser par-dessus les phrases pour les faire s'oublier et pire encore, faire s'oublier qu'elles pourraient avoir un lien entre elles – quand j'y pense, c'est seulement aujourd'hui, devant vous, quand je rassemble mes souvenirs, c'est seulement aujourd'hui que je soulève le voile qu'il a su déposer et distendre assez pour éparpiller les morceaux dessous.

Mais alors, quand peut-être un mois plus tard ou je ne sais pas, quand encore là sur le seuil du château il a remis dans la conversation cette affaire de pêche et de bateau, qu'il a reparlé du Merry Fisher qu'il venait d'acheter, je n'ai pas vu le lien qui s'était établi dans sa tête, c'est-à-dire que pour lui, vous comprenez, c'était un bon prétexte pour sympathiser, or lui, il voulait cela d'abord, sympathiser – sympathiser assez pour qu'un jour on se retrouve tous les deux devant son nouveau bateau.

Et c'est ce qui s'est passé. Il m'a emmené sur le port. Dans sa Porsche. Il a mis une affreuse musique dans l'autoradio et on a traversé le pont qui enjambait la rade. Et on est restés là longtemps, sur le ponton A du port de plaisance, les bras croisés devant un Merry Fisher 930, à discuter paisiblement, oui, paisiblement, parce que les pontons d'un port, ça pourrait pacifier la terre entière, a fortiori si vous y descendez sur le coup de 18 heures, a fortiori si le soleil décline sur le goulet et fabrique sa grande lumière coupante avant de disparaître.

Là, au-dessus de la mer calme, de l'autre côté de la rade, on pouvait voir, juste en face de nous, comme installé pour toujours, notre château qui prenait toute la lumière.

D'ici, j'ai dit, on dirait presque un vrai château.

Oui, c'est vrai, il a repris. C'est presque dommage de le détruire.

Détruire ? j'ai dit.

Et tandis que j'étais encore à digérer sa phrase, dans le même temps il avait commencé à remonter vers les quais, moi lui emboîtant le pas, j'essayais de lui dire que je n'avais pas compris ça, que sur la maquette, il m'avait semblé qu'au contraire, le château...

Oui, mais que voulez-vous, il a dit, le projet évolue, et puis vous verrez, Kermeur, ce sera beaucoup plus beau comme ça.

Et je l'ai suivi sur la passerelle, sans savoir quoi penser. Mais lui, dans ces moments-là, il savait penser pour deux, si je peux dire que d'aller boire une bière à cet instant-là, c'était penser pour deux, en même temps qu'on s'éloignait des mâts silencieux des bateaux et qu'on s'installait là, à la terrasse du seul bar ouvert sur le port de plaisance, qui faisait comme une mezzanine au-dessus de la mer. Et franchement, j'ai dit au juge, franchement c'est impossible de savoir, quand un type comme ça vous invite à boire une bière, s'il le fait seulement parce qu'il est seul ce soir-là ou bien s'il a une idée derrière la tête ou bien s'il est seulement fier de lui parce que vous êtes comme la dernière personne qu'il aurait pensé amener là, fier de condescendre en somme, parce qu'un type comme ça, j'ai compris depuis, un type comme ça veut toujours le beurre et l'argent du beurre, et l'argent du beurre eh bien, l'argent du beurre c'est que pendant un temps, Lazenec, il s'est senti ami avec moi. Et moi d'une certaine manière, je l'ai accompagné dans son amitié.

Finalement vous et moi, il a dit, on est un peu pareils, on est comme deux régisseurs à notre manière.

Je crois que j'ai fait une sorte de moue indécise, de celle qui approuve et sépare en même temps mais n'engage pas à parler – lui, continuant de regarder au loin, on aurait dit que de son seul regard il avait déjà effacé la vieille bâtisse qui nous servait de château, et à mon tour je la voyais qui s'effaçait doucement dans l'avenir, tandis qu'il commençait à dire que l'avantage de la région, c'était que le mètre carré restait abordable et puis qu'il était stable et que c'était le genre d'endroits où on ne pouvait pas perdre d'argent, au contraire, grâce à des investissements comme le sien, bientôt il grimperait, le mètre carré et sans parler du tissu économique de la presqu'île, et moi je l'écoutais déplier son discours, avec sa manière bien à lui de faire comme si tout ça, ces histoires d'immobilier et d'avenir radieux, il m'en parlait comme ça, mais que ça ne me concernait pas vraiment, c'est-à-dire l'évoquait avec ce qu'il fallait de désinvolture, notez cela, j'ai dit au juge, sa désinvolture, celle de qui vous parle à vous mais pourrait ne pas le faire, et vous donne cette impression que tout ce dont il parle se passe ailleurs, loin, sans vous, au point qu'à la fin, si tout se passe bien, à la fin vous n'avez qu'une envie, c'est d'en faire partie. Et Lazenec le sait. Que ça marche comme ça, il le sait.

Maintenant je vous raconte ça comme si j'avais eu toutes les clés en mains dès le début mais bien sûr pas du tout, bien sûr j'étais aveugle comme saint Paul après sa chute de cheval. Et vous dire comment les choses se sont vraiment enchaînées, comment le temps s'est mis à se diluer en jours pluvieux, non, c'est comme une nappe de brouillard dont on ne sait jamais où elle a commencé à tomber, ni sur quelle portion de route elle est descendue. Ce soir-là, j'ai eu le sentiment que tout s'enveloppait d'un seul et lent mouvement, comme un tissu très serré dont on ne verrait plus les mailles, à cause de la façon dont ses paroles ont fini par sédimenter comme des alluvions au fond d'un fleuve. Alors il n'y avait aucune place pour le hasard quand il a lancé, comme s'interrompant lui-même :

Mais peut-être je vous dois des excuses, Kermeur.

Des excuses ? j'ai dit, mais pourquoi donc ?

Parce que je ne vous ai rien proposé.

Il a dit cette phrase un peu en l'air, par politesse peut-être, du moins j'ai cru qu'il l'avait dite comme ça, parce qu'il y avait déjà un billet sur la table pour régler nos deux bières, et sans encore savoir qu'une dizaine de types comme moi avaient dû vivre à peu près la même scène, c'est-à-dire vivre les mêmes heures d'amitié fabriquée pour l'occasion, c'est-à-dire, selon lui, pour ne surtout pas rater une affaire pareille, un appartement tout neuf avec vue sur la rade.

Lui, il faut dire, il n'a jamais présenté la chose comme un endroit fait pour habiter, il a parlé d'investissement et de rendement mais jamais d'habiter, de sorte que ça restait comme des lignes d'architecte sans corps à l'intérieur, et que des deux heures passées là sur le port dans la fraîcheur du soir tombant, je n'ai pas entendu un mot qui avait à voir avec vivre ou habiter et on aurait dit que les mots comme « fonctionnel » ou « lumineux » ou « moderne » étaient seulement faits pour compléter l'expression « à terme ». Je me souviens que je lui ai demandé : Qu'est-ce que ça veut dire exactement « à terme » ? Et je ne suis pas sûr d'avoir compris toute la réponse, mais je me souviens qu'à terme on devait y gagner beaucoup, évoquant les 10 à 12 % de rendement annuel, sans que je sois sûr de bien comprendre ce que ça voulait dire non plus, sauf que c'était censé être de l'argent en plus pour le propriétaire.

Et moi j'aurais voulu ajouter des adverbes à chacune de ses phrases, des « probablement », des « éventuellement », des « peut-être », du moins aujourd'hui que je raconte ça, c'est sûr que je ne manquerais pas d'adverbes, mais ce jour-là, je ne crois pas que j'ai eu le temps de voir les choses comme ça, avec des adverbes, croulant sous les données qui s'amoncelaient en même temps qu'il continuait de faire comme s'il parlait en général, c'est-à-dire, pour tout le monde sauf pour moi, et s'efforçant de me rendre plus indépendant que je

72

ne l'étais, ainsi qu'il l'a parfaitement fait ce soir-là quand il a dit : Kermeur, ce n'est pas moi qui vais vous dire ce que vous avez à faire, vous savez mener votre barque tout seul.

Et vous n'imaginez pas, j'ai dit au juge, à cette seule idée de mener sa barque, soudain, dans un cerveau comme le mien, il y a des vagues de trois mètres qui s'érigent comme des murs d'eau sous mon crâne, moi, dans la barque en question, c'est comme si je m'étais retrouvé seul perdu au milieu de l'océan avec à côté de moi un paquebot géant qui file vers l'Amérique. Alors à cause de ce sentiment même, sous mon crâne, ce fut comme une balle magique qui frappait d'un côté l'autre et cassait toutes les vitres. Et en même temps qu'il y avait cette balle rebondissante qui faisait plus de dégâts qu'une pierre dans un lac, je dis bien « en même temps » il y avait quelque chose en moi qui se gonflait d'orgueil ou je ne sais pas, de souveraineté, quelque chose qui disait, oui, c'est vrai, tu sais mener ta barque – et sans voir que lui, Lazenec, dans mon orgueil, dans ma résistance, dans mon libre-arbitre, bientôt il pourrait s'y vautrer comme dans un canapé en cuir dont il aurait lui-même consolidé les coutures.

Et on continuait de boire nos bières en regardant la mer dans le soleil tombant. Et on continuait à parler de pêche et de sa nouvelle vie dans la région, et de tout cet avenir qui s'ouvrait pour la presqu'île, c'est-à-dire qu'il n'arrêtait pas de planter des graines très doucement dans mon cerveau à peu près comme on en jette dans un champ, je veux dire, avec la même légèreté de qui sait bien que ça ne marche pas à tous les coups, qu'aussi bien la graine pourrira sur une pierre ou bien des oiseaux viendront la picorer mais ça n'a pas d'importance, parce qu'au nombre de graines jetées à la volée, ça prendra assez pour faire un tapis d'herbe uniforme, eh bien là, j'ai dit au juge, c'est exactement pareil.

Et puis aussi, là, eh bien la graine, elle a pris.

À partir de ce moment-là, j'ai dit au juge, c'est comme si le capitaine qui était censé habiter avec moi dans mon cerveau, c'est comme s'il avait déserté le navire avant même le début du naufrage. Et peut-être d'un lointain rocher, les yeux hagards, le capitaine qui a habité mon corps pendant plus de cinquante ans sans jamais trébucher, d'un coup il s'est éclipsé et alors, depuis la rive, il a regardé le bâtiment sombrer.

C'est une drôle d'affaire, la pensée, n'est-ce pas ? Ce n'est pas qu'il y ait long en distance du cerveau vers les lèvres mais quelquefois quand même ça peut vous paraître des kilomètres, que le trajet pour une phrase, ce serait comme traverser un territoire en guerre avec un sac de cailloux sur l'épaule, au point qu'à un moment la pensée pourtant ferme et solide et ruminée cent fois, elle préfère se retrancher comme derrière des sacs de sable. En tout cas ce que je veux dire, c'est que dans les jours qui ont suivi, au lieu de dire clairement « non » comme ça se passait au fond de moi, au lieu de me laisser raccompagner à ma place de gardien avec le regard amical sur moi-même que je portais dans mon cœur, au lieu de ça, avec la voix d'un fantôme qui s'entend lui-même, j'ai pris le téléphone un soir et j'ai dit « Lazenec ? », j'ai dit « pourquoi pas ? », j'ai dit « je signe quand ? »

II

Maintenant le juge était debout à la fenêtre et il regardait dehors. Et dans le contre-jour, avec les mains accrochées dans le dos, j'aurais pu lui donner vingt ans de plus, quand l'âge des gens, cela varie d'une minute à l'autre, d'un seul changement de lumière ou bien d'un visage qui se ferme. Alors ça n'a rien arrangé quand se retournant d'un coup, le même visage maintenant noirci par le contre-jour, seulement sa voix est sortie de l'obscurité disant : Kermeur, bon sang, Kermeur, mais qu'est-ce qui vous a pris ? en même temps qu'il donnait un coup de poing sur son bureau, et presque balayait d'agacement les documents dessus.

Je crois que ça m'a fait peur, qu'un type censé représenter le calme et la froideur des lois, qu'il s'énerve et semble si émotif, oui ça m'a fait peur et je suis resté comme ça, les yeux vissés au sol, envoyant sa phrase se perdre sur les lames du vieux parquet qui craquait sous nos pieds. Je ne sais plus ce qui s'est passé à ce moment-là, je ne sais pas s'il a répété sa question deux ou trois fois ou si seulement elle tambourinait en moi, mais je sais qu'après ça, tout ce que j'ai su dire, c'est : Est-ce que je peux sortir deux minutes ?

Il a regardé sa montre et puis l'horloge murale suspendue derrière moi, comme pour s'assurer qu'elles étaient bien synchrones, et puis, sans même me répondre, il a contourné son bureau, il a ouvert la porte et il a rappelé le gendarme dehors pour qu'il m'escorte à travers les couloirs. Peut-être à ce moment-là j'aurais pu courir et me laisser descendre sur les marches du palais, mais peut-être aussi, il savait que je ne le ferais pas.

Il y avait sa phrase qui continuait de résonner dans les couloirs défraîchis et même encore là, en regardant le jet d'urine qui tombait continûment dans l'eau de la cuvette, il y avait sa voix qui répétait devant les carreaux faïencés du mur des toilettes : Bon sang, Kermeur, mais qu'est-ce qui vous a pris ? et qui avait l'air de me ravager comme un pesticide qu'on aurait balancé sur une coccinelle, comme si mon propre corps à cet instant, c'était cela, une coccinelle couchée par le vent. Puis j'ai fait le même chemin en sens inverse et je suis revenu là, dans ce même bureau mal repeint, avec le juge assis comme de l'autre côté de son code pénal, le juge qui avait fini par se rasseoir, effacer la colère qui circulait sur son corps, comme si le cuir de son fauteuil avait diffusé autour de lui une molécule apaisante, et sans que je puisse discerner s'il m'en voulait vraiment d'avoir signé ou si seulement il s'en voulait à lui de pouvoir s'emporter ainsi, c'est-à-dire, peut-être, s'émouvoir pour un type que sûrement il accompagnerait bientôt à la porte d'une prison.

Et il ne disait rien. Et je ne disais rien non plus. Et enveloppé maintenant du silence qui durait, je me demandais si ce n'était pas le mieux pour voir au fond des choses, le silence, un peu comme l'eau d'un étang qu'on n'aurait pas remuée et qui serait plus limpide à force de calme, quand, au contraire, ces dernières années, on aurait dit que toute la vase était venue animer la surface et ce genre d'images qui me vient à l'esprit quand je pense à l'eau claire. Je me serais volontiers contenté de ça, j'ai souvent pensé, de la surface d'un lac en quelque sorte, mais le juge, non, il voulait que j'aille voir plus au fond, là où les choses dorment et glissent ou bien se télescopent comme des plaques tectoniques, lui, il voulait forer pour entrevoir de l'huile essentielle ou quelque chose comme ça. Il voulait, et moi je ne voulais pas. Je lui ai dit plusieurs fois que tout était là, sous nos yeux, que c'était une erreur de vouloir remonter à un temps mort ou défectueux ou déchu, en tout cas un temps qui ne ferait pas revenir les heures ni les hontes, et quand bien même, je lui ai dit, qu'y aurait-il à faire revenir ?

Un fantôme, il a dit.

Oui, sans doute, un fantôme.

Et j'ai eu l'envie à mon tour de me lever, d'accrocher moi aussi mes mains dans le dos comme un vieux sage qui expliquerait la vie à son disciple, au lieu de quoi je suis resté assis en face de lui, tournant seulement la tête vers la bibliothèque remplie de tous ces gros livres à couverture bordeaux ou lie-de-vin, les dizaines de codes civils ou maritimes qui se décoloraient là, au bon vouloir du rare soleil et semblaient contenir toutes les réponses de la terre. Alors plus calmement encore, comme si j'avais été un animal sauvage qu'il ne fallait pas effrayer, il s'est mis presque à chuchoter, le juge, et reprenant sa question il a murmuré : Kermeur, qu'est-ce qui vous a pris ?

Vous connaissez l'histoire du gars qui a failli gagner au loto ? j'ai dit. C'est rare, n'est-ce pas, qu'on connaisse quelqu'un qui a gagné au loto, mais quelqu'un qui a failli gagner, est-ce que ce n'est pas encore plus rare ? Pendant dix ans, imaginez, le type joue les mêmes numéros, toutes les semaines, jamais un oubli et puis voilà, il faut que ça tombe ce jour-là : le jour exactement où les six numéros sont sortis, ce jour-là, non, il n'a pas validé son billet. Et c'est vrai, c'est incroyable : une chance sur treize millions de gagner au loto, à peu près autant de ne pas valider son billet, et il y en a qui réussissent à multiplier l'une par l'autre. Moi je connais quelqu'un à qui c'est arrivé, et ce n'est pas un voisin ni un oncle, non : c'est moi.

Des années durant, j'ai dit au juge, j'ai gardé au fond de ma poche un billet de loto, bien plié, bien validé. Si souvent dans la journée je le sentais sous mes doigts pour me faire croire que peut-être, tel ou tel soir, je serais enfin millionnaire. Alors chaque semaine, avec Erwan et France, on s'installait devant le tirage télévisé, devant la fille qui annonçait les numéros et souriait dans l'écran, puis la vie reprenait son cours normal, c'est-à-dire celui qu'elle n'avait jamais quitté mais que moi, toute la journée, toute la semaine à vouloir y croire, j'avais quitté chaque fois que j'avais mis la main dans ma poche – ce même billet que cette semaine-là, pour quelle raison valable, pour quelle absence de raison, en tout cas, c'est sûr, je ne l'avais pas validé.

Nous, tous les trois dans le canapé ce samedi-là, comme d'habitude devant la télévision, comme d'habitude on allait perdre au loto et on était contents. Alors la tête que j'ai dû faire quand le premier numéro, le second numéro, le troisième, et me souvenant alors en blêmissant, me souvenant que ce matin, ce matin, non, ce n'est pas vrai, ce n'est pas possible, mais c'était trop tard, quand le sixième numéro est sorti, c'était beaucoup trop tard.

La tête d'Erwan qui ne savait pas. La tête de France qui s'était levée et se disait que c'était là, en vrai, dans l'écran, nos numéros à nous. Alors sans bouger ni regarder personne, j'ai dit : Je ne l'ai pas validé.

Le silence qui a suivi. La fille qui souriait bêtement dans l'écran, qui répétait les numéros, le 2, 5, 12, 24, 27, 31 et le complémentaire, le 7 bien sûr, toujours le 7 en complémentaire, et la fille dans l'écran, comme elle souriait en nous regardant.

Alors je ne sais pas, France a pris la télécommande, elle a appuyé sur le bouton et elle est partie dans la cuisine. Elle n'a rien dit. Erwan et moi, on s'est retrouvés là, tous les deux, devant la télévision éteinte. Erwan et moi nous reflétant sur l'écran gris, nos visages mal visibles à cause de la poussière, je me souviens, on est restés un moment comme ça, éteints nous aussi.

Ce n'est pas grave, j'ai essayé de me dire, non, ce n'est pas grave, j'ai continué à vouloir prononcer, de plus en plus doucement, de plus en plus faussement, m'enfonçant comme jamais dans la mousse du canapé, mon corps qui s'il avait pu se serait fondu dans les coussins, la pomme dans la gorge qui montait et descendait d'émotion et l'étrange envie de vérifier encore si par hasard, si par habitude je n'avais pas validé ce billet, parce que je n'y ai pas cru tout de suite. Je me suis couché sans y croire. J'ai essayé de me dire que ça ne changeait rien, juste j'ai essayé de me dire ça, que gagner, oui, ça change la vie mais perdre, non, perdre, c'est comme d'habitude, ça ne change rien puisque c'est comme d'habitude. Mais il y a perdre et perdre. Et comment savoir si cela ou autre chose, si le destin peut changer pour si peu, ne sachant pas même si on peut dire « si peu » pour un tel revers, si cinglant à la tête pendant longtemps peut-être, car ce n'est jamais pareil, non, qu'on vous raconte l'histoire ou qu'elle vous arrive à vous, un samedi soir dans un canapé.

Et votre épouse ? a demandé le juge.

Mon épouse, rien. Mon épouse, pas un mot. Il y avait peut-être déjà de l'eau dans le gaz, je ne sais pas, et je ne dis pas que ça a joué dans son départ, je ne dis pas qu'il y a eu comme une fissure née de ce jour, mais le fait est, c'est vrai, il a bien fallu que tout tombe en même temps, vu que dans la vie si on regarde bien, tout converge en quelques points et puis le reste du temps, rien, ou plutôt si, le reste du temps, on paye les pots cassés.

En tout cas, c'est comme ça qu'aujourd'hui je me représente la dernière décennie quand j'en amène toutes les lignes ici même devant vous, et ça fait comme un cerf-volant dont j'actionnerais les commandes depuis une plage, comme si soudain j'avais une vue claire et comme surnaturelle du temps qui passe, mais c'est toujours facile, j'ai dit, avec le recul, de tisser les choses en destin, et alors border les années avec je ne sais quels piquets ou poteaux d'angle et même une couleur qui en déciderait la teinte définitive. Seulement, quand on était dedans, dans chaque année ouverte sur quelle bouteille de champagne, il n'y a jamais eu de carte IGN qu'on nous aurait distribuée le jour de l'an pour nous conduire dans les temps futurs. Jamais rien d'autre que les lignes un peu floues qu'on essaie chacun de dessiner pour suivre la pente des saisons, mais c'est tout. Et que tout le problème c'est qu'il faut encore prendre les virages soi-même. Encore que me concernant, je n'ai pas eu l'impression de prendre beaucoup de virages. C'est l'avantage de la bêtise : on reste au carrefour et on attend de se faire renverser par une voiture. Je veux dire : est-ce que c'est moi qui ai décidé que ma femme parte du jour au lendemain sans presque prévenir ? Est-ce que c'est moi qui ai décidé de licencier les trois quarts du personnel de l'arsenal ?

De toute façon, j'ai dit au juge, elle a retrouvé quelqu'un. France, elle a retrouvé quelqu'un – un nouveau compagnon. C'est elle qui disait ça comme ça, « un nouveau compagnon », quand elle venait chercher Erwan le week-end, qu'elle restait sur le seuil de la porte et que si d'aventure je lui proposais d'entrer, de toute façon, elle refusait.

Parce que donc, m'a demandé le juge, Erwan vivait chez vous ?

Oui, Erwan vivait chez moi. Il a choisi ça, de vivre chez moi. Ne me demandez pas pourquoi. C'est comme ça. Je sais seulement que France n'a jamais aimé ça. Imaginez, une mère, son fils. Et il choisit son père. Alors c'est pour ça aussi, son « nouveau compagnon », c'était peut-être sa manière à elle de s'en sortir. De fait, je n'ai jamais su, quand elle parlait de lui, son nouveau compagnon, je n'ai jamais su distinguer entre peut-être de la gêne ou bien de la pitié qu'elle avait pour moi ou bien tout simplement de la fierté : celle d'avoir pris la bonne décision, celle de ne pas s'être enfoncée avec moi, en quoi je peux dire aujourd'hui, avec toutes les heures de solitude que j'ai eu le sentiment qu'elle m'assénait une à une comme des coups de pioche sur la tête, en quoi je peux dire qu'elle a plus que bien fait.

La seule chose que je ne veux pas savoir, monsieur le juge, c'est si ça avait commencé avant.

Quoi, qu'est-ce qui aurait commencé avant ?

Sa liaison avec lui. Son nouveau compagnon. Parce que c'est quand même elle qui est partie, je tiens à le préciser, alors j'ai le droit de me demander, vous comprenez, j'ai le droit de me demander depuis quand, pardon de le dire comme ça, oui, mais depuis quand elle connaissait sa chambre à coucher.

Mais cela, le juge, on aurait dit que ça ne l'intéressait pas, aussi indifférent qu'un médecin aux plaintes de ses patients. Médecin ou juge, j'ai pensé depuis, ce ne sont pas des gens qui marchent aux sentiments, au contraire, ils sont trop occupés à en écarter les branchages et briser l'épaisseur des sous-bois qu'ils habitent. Même, quelquefois, quand il me regardait, le juge, on aurait plutôt dit qu'il avait une machette dans les yeux et qu'avec elle il frayait son chemin à l'intérieur de moi, comme s'il visait un point central que je ne connaissais pas moi-même, quelque chose qu'il aurait peut-être simplement appelé « les faits » et parce qu'il pensait qu'à l'intérieur d'eux, « les faits », il y avait la vérité. Comme si elle, la vérité, elle allait émerger toute seule hors de l'eau, sèche et sans rides. Après tout, pourquoi pas ?

Au fond, je ne saurai jamais s'il y a un lien entre

le billet de loto et le départ de France, non, je ne saurais pas le dire, ou bien si je sais le dire, ça m'accable un peu trop, mais ce que je sais, c'est que les quatre ou cinq années qui ont suivi sont bien les plus bêtes de ma vie, si seulement on appelle bêtise les heures d'absence à soi-même. Le fait est qu'elle est partie, France, et que je n'ai plus jamais joué au loto parce que je sais que ce genre de chance, ça ne revient pas deux fois dans une vie.

Oui, a dit le juge, sauf si un type à moitié chauve vous invite à boire des bières en évoquant l'avenir.

Oui, sauf dans ce cas-là. Sauf que le billet de loto, cette fois-là, il coûtait cinq cent mille francs.

Et qu'en un sens, a repris le juge, le tirage n'a jamais eu lieu.

Oui, c'est vrai, il n'a jamais eu lieu.

Ça va faire six ans, j'ai dit. Que j'ai fait un chèque de cinq cent douze mille francs à un certain Antoine Lazenec, six ans.

Et disant ces mots, j'aurais voulu avaler cent litres d'air, le bureau soudain plus étroit encore, peut-être parce que l'après-midi avançait de plus en plus et que peu à peu la clarté s'estompait, à ce moment où le juge n'avait pas encore allumé les lampes qui éclaireraient bientôt nos visages. Là, dans la demi-pénombre, les paroles elles-mêmes allaient s'assombrissant, comme si chaque minute avait eu son épaisseur, sa densité rugueuse et qui faisait obstacle, comme si d'être là à parler et penser et voir tant d'images se mêler dans l'oisiveté, c'était le temps lui-même, le temps accumulé et emmêlé de tous les jours passés, et comme si peu à peu je n'en reconnaissais plus rien, des jours fossilisés – rien que la masse agglutinée, devenue presque informe, du passé.

Et vous avez fait un chèque comme ça ? a repris le juge. Cinq cent douze mille francs ? Comme ça ?

Vous me prenez pour un abruti, j'ai répondu.
Mais bien sûr que non, bien sûr que non je n'ai pas
fait un chèque comme ça sur un coin de table dans
un restaurant – non, tout ça, on l'a fait sérieusement,
on l'a fait devant notaire. Devant notaire, j'ai répété,
et cette expression même, devant notaire, j'avais
l'impression de la déplier comme une vieille carte
marine sur le bureau du juge. Devant notaire, oui,
ça veut quand même dire devant un officier asser-
menté qui risque la prison s'il vous fait signer une
connerie. Je me souviens, Lazenec et moi dans la
salle d'attente, avec le *Figaro Magazine* que je faisais
semblant de lire et *Paris Match* dans les mains de
Lazenec, quand le notaire est venu nous chercher,
quand il a passé sa tête de notaire dans l'ouverture
de la porte, avec ses cheveux gris et la raie sur le
côté comme tous les notaires de France, quand il a
dit « c'est à nous » comme aussi bien on aurait été
chez le dentiste ou le coiffeur, à ce moment-là précisément, devant cet homme qui ne sourirait pas une
fois en deux heures, oui, j'ai eu le sentiment d'être
devant la loi en personne. Vous comprenez ? La loi
en personne – ça devrait vous parler, j'ai dit au juge.
Installés là sur deux chaises en plastique, en face
de son bureau d'acajou, il nous a fait la lecture quasi
intégrale de l'acte de vente, comme quoi j'allais bel
et bien signer pour un trois-pièces avec vue sur mer,
quatrième étage, résidence « Les Grands Sables »,
livrable dans les deux ans, avec des mentions et des
clauses que vous n'imaginez même pas, des alinéas

qui vous protègent de tout, du feu, de l'eau, des banques, des vices cachés et des catastrophes naturelles.

Et vous savez ce qu'a dit Lazenec dans le bureau même du notaire, vous savez ce qu'il a dit au moment de poser à son tour sa signature sur l'acte avec son stylo Montblanc ? Il a dit : Les contrats, Kermeur, c'est comme le mariage, ça sert surtout en cas de divorce.

Ce jour-là, j'ai paraphé quarante-neuf pages en trois exemplaires, c'est-à-dire que j'ai écrit soigneusement M. K., comme Martial Kermeur, exactement 147 fois et j'ai signé en toutes lettres à la fin de chaque acte avec des mentions très sérieuses, des « lu et approuvé » et des « certifié sur l'honneur » et des « bon pour accord ».

Alors en repartant de là une heure plus tard avec mon acte de vente signé et tamponné, c'était comme si j'avais eu le saint suaire authentifié par le Christ en personne. Moi, sur le chemin du retour, avec mes cinquante pages encore tièdes de nos trois signatures, n'allez pas croire que je m'en suis mordu les doigts, d'avoir signé sans savoir, non, au contraire, je suis rentré chez moi fièrement, j'ai posé le contrat sur la table et j'ai passé la soirée entière à le lire dans les moindres détails. Je me souviens, Erwan était là bien sûr, j'ai préparé vite à manger et puis nous avons dîné comme d'habitude. Et ce soir-là, il aurait pu me parler de tout ce qu'il voulait, c'est sûr que je n'aurais rien entendu.

Je ne lui ai rien dit, à Erwan. Longtemps je ne lui ai rien dit. Cela, c'est une chose étrange, quand j'y repense. Mais aussi, qu'est-ce que j'aurais été mettre des histoires comme ça dans la tête d'un enfant de onze ans ?

Maintenant je demande : est-ce que le silence, c'est comme l'obscurité ? Un trop bon climat pour les champignons et les mauvaises pensées ? Maintenant c'est sûr que je dirais volontiers ça, que les vraies plantes et les fleurs, elles s'épanouissent en plein jour, et qu'il faut parler, oui, il faut parler et faire de la lumière partout, oui, dans toutes les enfances, il ne faut pas laisser la nuit ni l'inquiétude gagner. Maintenant je sais, monsieur le juge, je sais comment on transmet tant de mauvaises choses à un fils, si sous l'absence de phrases il y a toujours tant d'air chargé qui va de l'un vers l'autre, selon cette porosité des choses qui circulent dans une cuisine le soir quand on dîne l'un en face de l'autre, et que peut-être, dans la trame des jours qui s'enchaînent, tous ces repas où il m'a raconté sa journée de collège et le métier qu'il voudrait faire plus tard, tous ces soirs où je ne l'écoutais pas vraiment, cela, croyez-moi, ça travaille comme une nappe phréatique qui hésiterait à trouver sa résurgence. Et vous, père en forme de rocher absent, ce n'est pas la peine d'essayer de mentir, ce n'est pas la peine de dire « si, bien sûr, je t'écoute » parce qu'il sait, n'importe quel enfant sait parfaitement si on n'écoute pas, si on refait à l'infini je ne sais pas quelle boucle dans son esprit, comme une vitre devant les yeux qui vous sépare du monde et alors, à mesure que votre pensée a l'air de vous emmurer, votre enfant, vous ne le savez pas encore, vous l'abandonnez sur place.

Alors donc vous avez signé, a dit le juge, et puis ensuite ?

Ensuite quoi ? Ensuite rien du tout. Ensuite, bernique, voilà, rien, sinon je ne serais pas là. Sinon je regarderais la mer sur une chaise longue avec une couverture sur les genoux. Je ne serais pas tenu d'être en face de vous, avec cette série de casseroles qui tintent dans mon dos quand à peine je bouge.

Et puis j'ai soupiré un grand coup. Et puis j'ai avancé ma chaise qui a grincé sur le vieux parquet.

Ce que je ne saurai jamais, j'ai dit au juge, ce que je crèverais de savoir, c'est jusqu'où il savait. Depuis quand il savait que tout s'arrêterait avant même la chape de béton coulée sous mes fenêtres mais seulement le creusement des tracto-pelles et puis qu'ensuite, ensuite, à la place de chaque pierre et vitre qui auraient dû s'édifier sous nos yeux, en lieu et place d'un immeuble de six étages avec une terrasse sur le toit et une piscine intérieure, au lieu de ça il y a eu ce trou rectangulaire, voilà, un rectangle de

vide dessinant l'hypothèse d'un futur – mais l'hypothèse seulement.

Maintenant le juge agitait les mains sur ses dossiers, et déjà il sortait d'une des chemises qui peu-
plaient son bureau toute une série de photographies
qu'il a déposées là, devant moi, et qui témoignaient
de l'état d'avancement des travaux dans le parc, si
on peut encore appeler ça un parc, j'ai dit, anciennement un parc, j'ai dit en les regardant à mon tour,
les photographies qui faisaient comme des preuves
du massacre, celles de la pierre abandonnée, celles
de la terre retournée sur les deux hectares devant
la mer, quelques poteaux d'angle qui avaient l'air
de délimiter un chantier, et puis donc un trou, un
rectangle de vide comme une carrière qu'on aurait
commencé à creuser pour en extraire tels matériaux
précieux et puis voilà, rien d'autre, rien, sinon les
panneaux publicitaires détrempés accrochés au grillage et qui continuaient de promettre un avenir
radieux, au loin derrière eux toute l'ironie de la
pelouse devenue boue et les ruines du château, oui
bien sûr, les ruines, puisque cela, détruire, il avait
su le faire.

Quelquefois, dans un coin de l'image, il y avait
une bétonnière ou deux perdues dans le ciel mal
cadré, ou bien quoi, une ou deux silhouettes ayant
l'air de discuter au loin, et même, sur certaines, il y
avait lui en train de sourire, ainsi qu'il a fait ça
pendant toutes ces années, il a souri et tapé dans le
dos de tout le monde et embrassé le premier venu

comme un Marseillais, là, sur le terrain, en costume-cravate, avec un casque, mais regardez-le, j'ai dit, il n'y a jamais eu besoin de casque puisqu'il n'y avait rien.

Et depuis lors, j'ai dit au juge, au lieu des sacs de mortier et des parpaings scellés un à un, ce sont seulement des semaines et puis des mois et puis des années qui sont venus s'agréger et se tenir comme un bloc compact et de plus en plus opaque, un temps horizontal et lourd qui a passé, et que j'ai vu s'amonceler lui aussi comme un immeuble sous nos yeux, mais du genre d'immeuble qu'on ne peut pas dire qu'on va détruire une fois qu'il est là.

Et c'est ce temps lui-même qui apparaissait comme un fantôme sur les photographies, au loin les balcons de la ville qui faisaient comme une arène d'où les spectateurs auraient attendu la suite d'un combat avec son ombre à lui, Lazenec, qui planait encore sur les ruines, si on peut appeler ruines les marques de quelque chose qui n'a pas eu lieu. Et maintenant ma petite maison à moi à l'entrée du parc, mes quarante-cinq mètres carrés de pierre qu'on partageait avec Erwan, ils étaient comme tremblants au milieu du désastre, autour seulement les marques des bulldozers sur la terre et par les fenêtres la couleur ocre et rouge qui semblait entrer là, partout, dans nos chambres, sous nos draps, sur les jouets peu à peu remisés sous les combles.

À Erwan, vous comprenez, je n'ai pas eu besoin de parler beaucoup. À force, il comprenait. À force, il a senti l'inquiétude qui montait. Il a vu ma tête changer au fil des mois, ayant l'air de compatir quand je regardais là, vers le non-chantier l'avancée des non-travaux, mais seulement la répétition de ses passages à lui, Lazenec, comme un sanglier dans un champ de fleurs et qui se trimbalait là avec ses gars inutiles, ses entreprises fantômes comme autant de figurants qu'on aurait cru payés pour jouer chaque jour la scène. Et bien sûr il continuait de nous faire de grands signes amicaux quand il nous voyait, nous, Erwan ou moi, à la fenêtre de la cuisine, comme des figurines de plastique au sourire éternel.

Vous savez quelle fable Erwan a apprise à l'école cette année-là ? j'ai demandé au juge. *Le Corbeau et le Renard.* Et quand il la récitait devant moi, je vous jure, à chaque fois qu'on arrivait à la phrase « ouvre un large bec et laisse tomber sa proie », à chaque fois il y avait quelque chose en moi qui se contractait, quelque chose, oui, j'étais comme perché sur un arbre et il y avait Lazenec en bas, Lazenec qui me regardait en rigolant et disait « cette leçon vaut bien un fromage sans doute ? ». Alors plus le temps passait, vous comprenez, moins j'avais envie de lui expliquer, à Erwan. À force, c'était comme si j'avais risqué de faire tomber sur son dos tout le poids accumulé sur mes épaules à moi, et qu'alors, à l'inverse, de ce silence maintenu contre mes pensées mauvaises, oui, je l'avais protégé, comme parvenu à construire le mur étanche qui nous laissait chacun de part et d'autre du monde, c'est-à-dire moi de plus en plus dans la boue d'un chantier qui n'avançait pas et lui, simplement, dans l'enfance. Mais ça ne marche pas comme ça, n'est-ce pas ? Peut-être même que l'enfance, ça n'existe pas. Peut-être qu'à n'importe quel âge, on encaisse le monde comme il va et puis c'est tout. Et seulement certaines heures en s'écoulant font comme des marques noires qui vous construisent.

Erwan devant la télévision éteinte. Erwan dans la cuisine à me regarder penser. Erwan derrière la vitrine du banquier. Erwan derrière la porte de sa chambre. Erwan sur les pontons à regarder le gros bateau de Lazenec. Et moi je dis que chaque scène est devenue une image fixe dans son cerveau, au point de faire comme la lame d'un cutter qui a fini par lui déchirer la peau ou non pas la peau mais la chair dessous, tirant sur elle en l'effleurant et à la fin son visage intérieur, il fut comme lacéré. Peut-être que la mémoire ce n'est rien d'autre que ça, les bords coupants des images intérieures, je veux dire, pas les images elles-mêmes mais le ballottement déchirant des images à l'intérieur de nous, comme serrées par des chaînes qui les empêchent de se détacher, mais les frottements qui les tendent et les retiennent, ça fait comme un vautour qui vous déchire les chairs, et qu'alors s'il n'y a pas un démon ou un dieu pour vous libérer, le supplice peut durer des années.

Je me suis tu un instant. Il y avait le visage d'Erwan qui flottait là, dans la pièce, entre le juge et moi. Il y avait le juge lui-même qui semblait m'accompagner dans mes pensées.

Je voudrais vous demander quelque chose, j'ai dit au juge.

Allez-y.

Vous, si vous aviez eu à prononcer le jugement contre Erwan ?

Il a dodeliné de la tête et levé son sourcil gauche, il a dit : Je ne sais pas, il a quand même fait une grosse connerie.

Oui c'est sûr, j'ai dit, une grosse connerie.

Et puis il y eut encore un peu de silence, comme une manière peut-être de peupler la distance qui me séparait de lui, Erwan, hologramme soudain tournant en rond dans sa cellule, là, sur le bureau du juge, entre les livres et les dossiers devenus comme l'enceinte d'une prison.

Le juge ne bougeait pas. À force, j'ai cru que j'étais dans le bureau d'un psychologue ou quelqu'un comme ça, à force de le voir immobile sans réponse, les mains jointes sous le menton, et parce qu'à mesure des heures qui passaient, j'avais l'impression qu'il me demandait de creuser à l'intérieur de moi comme l'aurait fait un psychologue, de tout déterrer jusqu'à la poussière des os, pourvu de faire de la lumière et encore de la lumière et sans se demander si à force de trop de lumière, oui, les gens comme moi, ça ne pouvait pas les rendre aveugles. Et Dieu sait si je connaissais cette sensation de prendre mon cerveau pour une carrière de pierres et jour après jour excaver ce que je pouvais en espérant qu'à force, ça me libère de trop fouiller sans cesse, qu'à force je ferais autre chose que seulement regarder les bateaux partir à l'aube et les pêcheurs sur la mer me faire un signe en guise de miséricorde – les pêcheurs, c'est-à-dire, les gars de l'arsenal qu'on avait remerciés à leur tour et qui sitôt l'argent sur leur compte avaient foncé chez le vendeur de bateaux et alors sans hésiter, sans discuter, avaient pointé du doigt celui qu'ils convoitaient depuis des années, parce que donc ils avaient su faire ça, comme un don ou un programme génétique inscrit en eux, ils avaient su faire ça, tenir leur pensée fixe et patiente et la faire à l'heure dite circuler dans leurs nerfs et même, pas seulement dans leurs nerfs, mais jusqu'à leur index pointé sur tel modèle, disant : celui-là, je veux celui-là. À moi, aurait-on dit, il manquait ce programme-là.

Et maintenant qu'on avait rasé le château, maintenant que je pouvais voir la mer plus directement encore depuis la fenêtre de ma cuisine, à chaque fois que l'un ou l'autre me saluait depuis son cockpit, avec déjà les casiers prêts à être descendus, j'avais l'impression qu'ils nous narguaient, Erwan et moi, debout derrière la vitre à regarder la mer. Et quelquefois Erwan me demandait : Pourquoi tu n'en achètes pas un, de bateau ? Et, avec tout l'air évasif que je pouvais prendre, je lui disais : Si, bien sûr, je vais en acheter un, je vais en acheter un très bientôt. Et pour le convaincre un peu mieux, l'après-midi même on allait sur le port regarder les bateaux avec lui, visiter les concessionnaires en comparant les prix – lui, treize, quatorze ans peut-être, dont la voix se transformait peu à peu, à force de promesses épuisées, c'était comme si je l'entendais qui me disait déjà : Je sais que tu n'achèteras rien, je sais que tu n'as jamais su prendre une décision, mais n'oublie seulement pas qu'un jour il y en a une qui saura en prendre une pour toi, de décision, et celle-là, elle ne te demandera pas ton avis.

Je lisais ça dans sa nonchalance à lui, maintenant qu'il avait comme inversé les rôles, je veux dire, au départ c'était moi qui l'emmenais et puis peu à peu, non, c'était lui qui s'efforçait de venir avec moi, comme pour me faire plaisir ou pire encore, ne pas crier partout sa pitié ou sa honte, parce que je sais maintenant, de n'importe où que vous preniez le problème, un fils, il ne veut pas voir cela – votre faiblesse. Un fils, il n'est pas programmé pour avoir pitié de vous.

En un sens, ça aurait été plus facile s'il avait disparu, quitté la région et changé de nom, qu'alors on aurait couru de cabinet d'avocat en cabinet d'avocat, intentant tels procès perdus d'avance contre les banquiers, les assureurs ou les notaires liés à l'affaire, au moins ça nous aurait occupés. On aurait perdu mais ça nous aurait occupés. Mais je dis et répète que c'est son tour de force à lui d'être resté là comme une fleur au milieu de nous tous, un tournesol qui s'oriente selon les heures du jour, et c'est comme un concours floral qu'il a remporté haut la main, celui de tenir parmi nous toutes ces années, été comme hiver, et vous savez pourquoi ? Parce que plus il tenait, plus on se disait : ce n'est pas possible, s'il reste là, c'est qu'il n'est pas malhonnête. S'il reste là, c'est qu'il y croit lui-même. Alors que c'était justement le contraire : il restait pour qu'on y croie nous, je veux dire, comme pour réactiver chaque jour le petit feu intérieur de chacun, comme s'il avait pu se promener à l'intérieur de chaque âme pour en alimenter les fours à coups de pelles débordantes de quel combustible inépuisable. Et ça marchait. Parce que le plus drôle encore, ce n'est peut-être même pas qu'un type hypnotise un village entier, le plus drôle, c'est le temps qu'on met à revenir de cet étrange pays : d'avoir fait un chèque gros comme ça, de voir le type qui l'a encaissé dépenser sans compter, non, ça n'empêche pas de se dire encore longtemps que c'est justement le signe qu'on a mis son argent entre de bonnes mains. Et vous savez pourquoi ? Parce que ça veut dire qu'il en a, de l'argent, et donc ça veut dire que ça marche et donc ça veut dire que bientôt, bientôt ce sera notre tour de manier des liasses de billets – et voyez ce que ça me fait dire, comme si c'était le genre d'un gars comme moi de vouloir manier des liasses de billets, non, n'allez pas croire que ça m'a un jour plu, ces manières de parvenu, mais le fait est que j'ai fini par m'adapter, voilà, que j'ai fini par trouver normal qu'il passe sa vie dans les grands restaurants, avant même de se dire qu'en fait, là, dans ses mains, dans ses poches, c'était notre argent, notre propre argent qu'il flambait allègrement ou déplaçait d'un compte à l'autre, à peu près comme des pièces de monnaie sous des gobelets de plastique.

Cela, ça peut vous paraître fou, et c'est bien normal parce que vous regardez les faits, uniquement les faits, et alors vous avez beau les déposer un par un sur la ligne du temps, ceci n'explique pas cela, bien sûr, parce que ce qu'il nous faudrait pour comprendre, au fond, c'est une nouvelle science, une nouvelle physique, vous comprenez, avec un nouvel Einstein qui nous expliquerait comment l'âme ou la pensée ou je ne sais pas, cette chose à l'intérieur qui vibre à la lumière, cette chose chante sa propre musique, avec des notes qu'on est incapable d'entendre à l'oreille, des notes sourdes et étranges comme le chant des baleines à bosse, oui, Lazenec et moi, nous avons été cela, des baleines à bosses, et nos ondes se sont croisées sous l'océan.

Ce n'est pourtant pas faute de l'avoir pris mille fois à part pour lui demander quand ça commencerait vraiment, et même, plus d'une fois, s'il ne valait mieux pas qu'on revienne en arrière, un arrangement à l'amiable, voyez-vous, on déchire le contrat, vous me rendez mon argent et on n'en parle plus – mais lui, vous savez ce qu'il répondait, outre les cent fois où il a balayé ma phrase d'une tape sur l'épaule, il répondait : Kermeur, rassurez-moi, vous n'êtes pas sur la paille ?

Et cela c'est totalement fou, n'est-ce pas, un type qui vous y a mis, sur la paille, vous lance une perche plus longue que le bras, vous laisse la porte ouverte pour crier tout ce que vous pouvez directement à son oreille, et au lieu de ça vous répondez calmement, au lieu de ça vous répondez : Non, bien sûr, je ne suis pas sur la paille, mais enfin, vous comprenez... alors qu'évidemment vous l'êtes, sur la paille, évidemment la veille vous étiez chez le banquier à négocier un découvert insondable, à regarder votre fils vous attendre derrière la vitre en donnant des coups de pieds dans une canette vide, promettant au banquier que bientôt ça va s'arranger, que vous avez confiance dans cette affaire et dans le type qui la porte, de sorte que toute cette scène de vous implorant un banquier, de vous qui sentez votre souffle un peu plus court chaque jour, toute cette scène défile bien sûr devant sa question à lui, Lazenec. Mais au lieu de ça, vous dites encore « non, bien sûr », et vous ajoutez seulement que depuis tout ce temps, vous vous inquiétez un peu. Mais dans ce « un peu », un type comme lui, il mesure toute la marge de manœuvre qu'il a encore et il la mesure avec ses instruments à lui et ils ont des noms étranges, ses instruments. Je crois bien qu'ils s'appellent l'instinct ou l'intuition ou la ruse.

Encore, j'ai dit au juge, qu'un gars comme moi se fasse enfler comme une grenouille, cela, c'est dans l'ordre des choses mais les autres, les gens de la ville ou du club de foot, des gens qui ont investi dix fois ce que j'ai mis, cela, c'est complètement fou.

Combien de logements, vous m'avez dit ?

Trente. Trente logements. Trente appartements à une moyenne de cinq cent mille francs, ça fait quand même un bon paquet, non ?

Et peu à peu, le juge, on aurait dit que tout se durcissait à l'intérieur de lui, comme si j'avais agi sur un transformateur électrique dont j'aurais augmenté lentement la puissance, alors énervé de plus en plus, il s'est écrié :

Mais bon dieu, qu'est-ce qu'il a pu faire de tout cet argent ?

Tout cet argent, mais mon pauvre monsieur, tout cet argent, il l'a dépensé ! Et sous nos yeux encore ! Sous les yeux des trente pékins qui comme moi ont lâché cinq cent mille francs sur une maquette, oui, il les a flambés, voilà, il les a flambés sous mes yeux à moi et sous ceux du maire et sous ceux d'Erwan, ce n'est pas compliqué à comprendre, il les a brûlés devant nous, oui bien sûr, moi aussi j'ai bu des grands vins mais vous savez avec quel argent ? Avec l'argent d'un Merry Fisher que je n'ai jamais acheté mais que lui, oui, lui, il s'est payé neuf et s'est permis jusqu'au luxe de nous balader dans la rade avec lui.

Le juge a essayé de se calmer – plusieurs fois il a essayé de se calmer et reprenant ce stylo avec lequel il jouait depuis des heures, comme quelquefois pour noter quelque chose ou simplement se donner une contenance.

Les trente, il a repris. Mais alors les vingt-neuf autres ?

Oui, les vingt-neuf autres, c'est vrai, les vingt-neuf autres, eh bien, ils devraient être là, avec moi devant vous, je veux dire, ils auraient dû m'aider à foutre Lazenec à l'eau. Parce que tout seul, si je peux me permettre, ce n'est pas si facile de passer quelqu'un par-dessus les filières.

Il n'a pas relevé, le juge, il n'a pas demandé comment j'avais fait précisément, comment j'avais attendu qu'on arrête le bateau, qu'on remonte le casier avec le homard et les crabes et puis qu'ensuite Lazenec commence à se pencher pour laisser filer à nouveau le casier par vingt mètres de fond, et comment alors, posté derrière lui, j'ai juste eu à lui prendre les deux mollets et comme un sac de pommes de terre, je l'ai basculé dans la mer, voilà, c'est tout, ça s'est fait comme ça.

Mais le juge, ces détails-là, ça ne l'intéressait pas. Lui, ce qui l'intéressait, c'était une chose plus mentale, comme une équation mathématique qu'il aurait eu à résoudre ou à formuler. Mais moi aussi, je lui ai dit, moi aussi, j'ai besoin de résoudre l'énigme mais je ne suis pas un cérébral, voilà tout, alors j'ai besoin de la résoudre physiquement. Et encore, je ne suis pas un impulsif, si vous comptez jour après jour ce que représentent six années de patience, six années à croire qu'à la place d'un champignon mal comestible il pourrait y avoir des baies vitrées qui se refléteraient dans le soleil.

Oui mais les vingt-neuf autres, a repris le juge, pourquoi vous ne vous êtes pas mis ensemble contre Lazenec ?

Parce que, j'ai dit.

Et comme un enfant de huit ans, j'ai terminé ma phrase aussitôt commencée, j'ai juste redit un peu moins fort « parce que ».

Parce que quoi ?

Parce que je ne voulais pas que ça se sache.

Et dans le silence des photos étalées devant nous, il y avait ma honte qui avait l'air de se gonfler comme une chambre à air, ma honte désormais de n'avoir jamais rien dit à personne, et tout ça parce que moi, le socialiste de 1981, j'avais investi tout mon fric dans un projet immobilier. Vous ne pouvez pas comprendre ça, j'ai dit au juge, mais je ne pouvais pas le dire, je ne pouvais pas avoir balancé toute ma prime de licenciement dans une affaire immobilière, pas un vieux socialiste comme moi, vous comprenez ?

Des types comme vous pourtant, si j'ai bien compris, des types qui y ont laissé leurs primes, il y en a quelques-uns.

Oui sans doute mais les types comme moi, comme vous dites, il ne faut pas croire, ils n'étaient pas plus visibles que moi, terrés chacun dans le silence de son piège. Et il vaut mieux ne pas connaître la liste de qui s'y est laissé prendre – des gars comme moi, oui, c'est sûr, qui n'ont pas su voir plus que moi une main gantée se glisser doucement dans leur portefeuille. Je ne dis pas qu'on a bien fait de se taire. Je dis seulement que c'est nous. Alors pendant longtemps, non, personne n'a su. Ni Erwan. Ni France. Ni Le Goff. Pendant longtemps on a vécu seuls avec un puits sous nos pieds et seulement une grille branlante scellée dessus. Et sans doute ça n'a rien arrangé. C'est pourquoi je vous dis que c'est faire œuvre de salut public que de chasser un type comme ça.

Et accoudé maintenant sur le bureau, le juge continuait de regarder chaque photo du désastre sans commentaire, les faisant glisser une à une devant lui – la boue, la mer, le ciel, et c'était comme des cartes postales qu'il aurait rapportées de différents voyages, ou bien alors comme une main perdante qu'il aurait étalée à je ne sais quel poker.

Là, regardez, j'ai dit, c'est Erwan, c'est mon fils avec lui.

Ils ont l'air de bien s'entendre, a dit le juge.

Un gosse de douze ans, avec un type en Porsche qui l'emmène dans les loges du stade voir son équipe préférée, qu'est-ce que vous voulez qui se passe ?

Peut-être ça a duré deux ans, cette habitude qu'il avait prise de faire le détour par chez nous pour passer prendre Erwan et l'emmener avec lui. Est-ce que vous croyez qu'il faisait ça pour se racheter, je veux dire, que mon fric était depuis longtemps parti en fumée et qu'alors ? Non, même pas. Parce que le problème, c'est que même un gars mauvais, même la pire des crapules, il y a des moments où elle n'est pas une crapule, des moments où elle ne pense pas à mal. Et croyez bien que ça ne simplifie pas les choses pour les gens comme moi. Les gens comme moi, ils ont besoin de logique, et la logique voudrait qu'un gars méchant soit méchant tout le temps, pas seulement un tiers du temps. Peut-être, j'ai ajouté, peut-être c'est même pire que cela, peut-être que ce type n'a jamais pensé à mal, peut-être que ça n'existe pas, le mal vraiment, le mal inscrit sciemment au fond de soi, peut-être il y a toujours quelque chose en vous qui le justifie ou l'absout ou l'efface, je veux dire, ce type a suivi sa ligne et sa ligne lui disait de vendre des appartements en pérorant aux terrasses des cafés, et sa ligne lui disait que l'argent des autres est indolore à soi-même. Alors aussi bien c'est la même ligne qui lui avait fait prendre Erwan en affection au point de venir le chercher pour les matchs, seulement klaxonnant au bout de l'allée, préférant ne pas se présenter trop souvent devant moi – et quoique n'allez pas croire qu'il était du genre à se dérober, malgré toutes les fois où je l'ai seriné pour savoir si ça avançait et si on pouvait espérer que bientôt, oui, bientôt, parce que même après deux ans, même après trois ans, j'y croyais comme au premier jour, bien sûr, j'y croyais dur comme fer, et quelque chose en moi disait : voyons, trois ans, pour un projet comme ça, ça n'a rien d'étonnant, toutes les normes et les signatures qu'il faut, bien sûr, c'est normal. Et lui-même savait maintenir la flamme, lui-même, si d'aventure on devenait plus curieux, si d'aventure on parlait technique ou matériau, alors il invoquait tel fournisseur sans scrupules ou bien telle norme de construction qui l'empêchait d'avancer, et c'était comme une partie de main chaude qu'il gagnait à chaque fois. Et si tout ça fonctionnait sur moi, cette patience ou dilution des obstacles dans toute promesse souriante, imaginez donc, monsieur le juge, sur un gosse de douze ans.

Et je me suis encore tu un moment, comme pour lui laisser ce temps-là, au juge, d'imaginer vraiment.

Et puis j'ai demandé : Vous avez des enfants, vous aussi ?

Il a dit : J'ai un fils, oui.

Votre fils, j'ai dit, je vous souhaite tout le meilleur pour lui.

Et le juge a balancé la tête deux ou trois fois de haut en bas comme un automate dont j'aurais remonté la clé dans le dos, faisant cette sorte de moue confraternelle qu'on peut faire quand, à la place d'être un juge comme lui et un homme justiciable comme moi, on était peut-être seulement deux pères qui nous faisions face et projetions notre histoire chacun dans les yeux de l'autre.

Une chose est sûre en tout cas : il n'existe plus, ce petit Erwan qui me regardait en levant la tête pour savoir s'il peut monter dans la Porsche du monsieur. Maintenant la Porsche, il l'enverrait plutôt contre un mur s'il la voyait encore passer dans les rues du bourg avec la fenêtre grande ouverte et Lazenec, toujours le même, distribuant ses grands gestes à tout le monde. Parce que s'il y en a un qui n'a pas changé jusqu'à aujourd'hui, c'est Lazenec.

Jusqu'à hier, a corrigé le juge.

Oui, pardon, jusqu'à hier. Eh bien jusqu'à hier il était là, comme un roi sur la place de l'église et il continuait à fanfaronner devant nous, ses créanciers, et même, au bout de cinq ans ou six ans, avec toute la réputation qui circulait maintenant comme un serpent jaune au fond de la rade, il parvenait encore à dénicher quel moineau innocent qui lui faisait un

111

joli chèque. Et l'argent continuait de sauter d'une selle à l'autre parce qu'il y avait toujours un nouveau cheval qui s'installait dans la course pour faire comme le dernier maillon de la chaîne. Mais vous connaissez la règle, j'ai dit au juge : une chaîne n'a jamais plus de force que son maillon le plus faible. Et alors si l'un lâche, elle ne retient plus rien, et le bateau s'en va à la dérive pendant la nuit. Avec un peu de chance vous vous réveillez au large à l'aube dans la lumière rasante du soleil. Mais aussi bien dans l'heure qui suit, il y a le bruit terrible de la coque en pleine nuit drossée sur les rochers, l'eau qui entre à flots dans la cabine, et au mieux, au mieux, vous rejoignez la côte à la nage.

Il ne faut pas m'en vouloir, j'ai dit au juge, quelquefois j'ai des images étranges qui me traversent l'esprit. Elles ne restent jamais longtemps, elles passent. Seulement, tant qu'elles sont là, mon regard se fixe et se brouille et les yeux se tournent comme vers un écran qui descendrait en moi, et alors il faut attendre. Et alors le juge attendait. Et dans ma tête, c'était comme un cadre de fer avec des angles droits qui déchirait le temps.

Lui, le juge, il n'a jamais eu l'air gêné par ces longues secondes vides qui ponctuaient mes paroles, selon que dans ma tête certaines phrases laissaient dans leur sillage comme un plan fixe, une image qui durait et ne voulait plus s'effacer.

Je ne vous en veux pas de ne pas comprendre, j'ai repris, vu le temps que j'ai mis, moi, à comprendre, à mettre les noms qui conviennent sur tout ce mécanisme, mais maintenant j'ai compris, j'ai compris comment il a fait pour se tenir au milieu de nous dans sa Porsche et tous les restaurants de la ville : au fond, plus vous faites une chose absurde et plus vous avez de marge de manœuvre, parce que l'autre en face, l'autre, tant qu'il n'a pas mis ça dans sa machine à calculer à lui, tant qu'il n'a pas fabriqué une petite machine à lui pour domestiquer l'absurdité, il est paralysé. Les grands boxeurs le savent, que seulement quand le jeu de l'autre est dans leur boîte, c'est-à-dire seulement quand il est enfin enfermé dans leur cerveau comme sur le plateau d'une petite boîte à musique, là, oui, ils savent qu'ils peuvent combattre mais avant ça, avant ça vous prenez des coups, et puis c'est tout. Et plus vous prenez des coups, moins vous êtes lucide, et moins vous êtes lucide, plus vous prenez des coups, vous comprenez ? Allez donc sur la tombe de Le Goff pour lui demander ce qu'il en pense.

Le juge s'est renfoncé dans le cuir de son fauteuil, il a soupiré comme s'il était fatigué et puis il a demandé :

Mais Le Goff, il avait investi, lui aussi ?

Le Goff, monsieur le juge, c'est plus compliqué que ça.

Et je me suis tu à nouveau, Le Goff à son tour comme une diapositive installée là, dans le vague de l'air qui circulait entre le ciel et ma chaise, et qui aurait refusé elle aussi de quitter l'écran trop vite.

Je crois que c'est le visage de Catherine qui me vient en premier quand je prononce le nom de Le Goff. Ses larmes à elle surtout qui ruisselaient sur ses joues le jour de l'enterrement. Mais elle a fait tout ce qu'elle pouvait, j'ai dit au juge, tout ce qu'une femme peut faire pour tenir son mari hors du puits. Et c'est seulement qu'un moment, les gens, on ne peut plus rien pour eux. Rien pour les sortir de là où ils crient pourtant fort et disent « sauvez-moi », ils le disent, oui, mais tout leur corps tire dans l'autre sens et on ne peut rien contre ça non plus, contre le verre cassé qu'on traîne avec soi, un peu comme le bruit d'un miroir brinquebalant sur un mur, un bruit contre lequel il est quelquefois impossible de lutter. Et je crois que chez Le Goff, ce bruit, il avait commencé à croître depuis long-temps, toutes ces fois où il sonnait chez moi pour constater par lui-même l'avancée des travaux, venant là de plus en plus souvent, comme si depuis les fenêtres de ma cuisine, on était comme deux

114

soldats se relayant aux avant-postes – deux soldats qui regardent si l'ennemi bouge à travers leurs jumelles. Encore que longtemps il a fait bonne figure, Le Goff. Longtemps l'optimisme a continué de planer par-dessus les gravats et les chenilles des bulldozers, quand si souvent on a fumé ensemble sur ma terrasse en regardant les arbres tomber un à un sous les coups des tracto-pelles ; même, on s'émouvait un peu au mouvement des machines, mais tous les deux, on regardait vers l'avenir.

Je n'ai jamais dit à Le Goff que j'avais investi. Je n'ai jamais parlé d'un trois-pièces vue sur mer au quatrième étage, bien sûr que non – moi, au contraire, je lui disais, tout ce projet, c'est bien pour la commune mais moi, au fond, ça ne me concerne pas. Et en même temps que j'essayais de soutenir son regard de mon propre mensonge, à mesure que les mois passaient, je scrutais sur son visage les nouvelles lignes d'inquiétude que dessinait son front. Et de le voir encore sourire sur ma terrasse ou bien sur les pages du journal avec Antoine Lazenec, moi, bien sûr, ça me rassurait. Après tout, c'était lui qui avait signé la vente du terrain. Après tout, c'était lui qui était maire.

Il a cru bien faire, Martial. Et nous avec lui, je veux dire, la plupart d'entre nous, du conseil municipal jusqu'aux tables des cafés, tout le monde l'a suivi, parce que voilà, il a pensé faire comme un homme de son temps, et son temps c'était quoi ? Un arsenal qui ferme et des promesses d'avenir, alors il a insisté là-dessus, que nous autres, les gens de gauche, il a dit, il était temps qu'on change.

Et pour changer, on peut dire qu'on a changé. Lui, plus vite que moi encore, de plus en plus sombre ou préoccupé ou accablé, cela qu'on pouvait mesurer à la rougeur de ses joues qui s'intensifiait, à cause du penchant qu'il avait de plus en plus pour les comptoirs des bars – et c'est vrai que pour un maire il a toujours eu la descente facile, mais là, à force, on sentait bien que c'était différent, quand Catherine elle-même allait le chercher au fond d'un café, quand ces deux dernières années il avait fini par ressembler à quoi ? Un vieux capitaine peut-être qui commence à comprendre qu'il ne commande plus rien, comme si s'était arrêté dans sa tête jusqu'au mouvement des marées, laissant les algues proliférer dans son cerveau, du moins c'est comme ça qu'aujourd'hui il m'apparaît, Le Goff, la tête polluée d'une eau sale et croupie.

J'aurais voulu qu'il arrête de venir là, dans mon propre jardin, et pour me dire quoi – mille choses que j'aurais préféré ne pas savoir, s'il est clair que le bruit du miroir peu à peu sous son crâne, il est devenu celui d'une cascade qui s'écrase sur la roche et qu'au fil du temps j'ai commencé à comprendre, oui, comprendre – je vais dire une bêtise – l'opacité des choses.

Et bien sûr il y a eu une fois de trop.

Il y a toujours une dernière fois, n'est-ce pas, et bien sûr on l'appelle celle de trop, puisque c'est la dernière. Mais enfin le fait est qu'il est bien venu là un soir de novembre, le fait est que je l'ai vu s'approcher comme une ombre qui déjà titubait dans l'allée en marmonnant des phrases incompréhensibles. Sans doute, dans sa démarche déjà, j'ai lu que ce n'était pas comme d'habitude. Une fois de trop sa silhouette se dessinant sur le gravier blanc. Une fois de trop son errance dans la presqu'île.

Alors je n'ai pas mis longtemps à comprendre que ce n'était pas le vent qui le faisait marcher comme ça mais combien de verres avalés seul dans son bureau, tandis que je commençais à percevoir les mots qui sortaient par sa voix éraillée, qu'il était le dernier des derniers, disait-il, et qu'il s'était bien fait avoir, et qu'on s'était tous bien fait avoir, disait-il. Et puis alors il m'a vu au loin, titubant moins peut-être, comme si d'avoir une direction à prendre, ça l'avait un peu redressé, comme si j'étais un repère lumineux dans sa nuit à lui. Et en même temps qu'il accélérait le pas vers moi, encore à plusieurs mètres dans la pénombre, il s'est mis à crier : Toi aussi Kermeur, toi aussi tu t'es bien fait avoir, ça oui, on peut dire que tu t'es fait avoir en beauté.

Et en l'entendant ainsi dans la nuit tombée, c'était comme si les arbres noirs et plus noueux que d'habitude avaient commencé à me tomber dessus et on aurait dit que circulait entre eux une rumeur insistante, un persiflage qui serpentait dans l'air. Moi, oui, j'ai eu cette sensation qu'eux tous, les pins et les fougères et l'herbe grasse des dunes, ils détenaient un secret et chuchotaient contre moi, à côté de moi, si fiers d'habiter leur monde à eux, leur monde sans phrase ni pensée maligne. Ce jour-là, vous comprenez, j'aurais voulu être un arbre. Et il s'approchait toujours, et il continuait de balancer ses phrases affreuses dans la nuit tombante, il disait « non, Kermeur, t'es pas mieux que les autres » et après toutes ces années, c'était la première fois qu'il me tutoyait.

J'ai entendu le grincement d'un volet pas très loin, une ou deux lumières qui ont eu l'air de s'éteindre au même instant, et moi aussi, j'ai pensé, j'aurais bien voulu fermer mes volets à ce moment-là, vu comme il criait mon nom dans l'air humide, que jamais je n'ai su à ce point-là que je m'appelais Kermeur. Et il avait l'air de se forcer à rire entre ses phrases, et s'approchant toujours, cette fois plus doucement, plus ironiquement en quelque sorte, il a dit devant moi : Alors comme ça on investit dans l'immobilier, hein ?... Petit cachotier... mais au maire on ne cache rien, ah non, rien du tout, le maire il voit tout, le maire il sait tout...

Mais qu'est-ce qui vous arrive, j'ai dit, de quoi vous parlez ? j'ai dit, vous êtes complètement soûl.

Et Le Goff continuait, disant « on a tous nos petits secrets, hein ? » en même temps qu'il se balançait devant moi d'une jambe sur l'autre comme un culbuto, oui, il ressemblait à ça ce soir-là, un culbuto incapable de se stabiliser, essayant de s'allumer une cigarette à l'abri sous l'auvent de ma maison, inhalant une bouffée comme si c'était de l'oxygène pur. Il a collé son visage à la vitre pour regarder à l'intérieur, comme pour vérifier que j'étais seul – seul, oui, je l'étais, Erwan était allé voir le match au stade, et moi ça faisait un moment que je ne l'accompagnais plus. Le Goff a essayé d'écraser sa cigarette mais le vent l'a emportée avant que son pied ne l'atteigne. Et qu'est-ce que je pouvais faire, debout à subir mille insanités balancées par-dessus les toits, alors forcément je l'ai invité à entrer, ne restez pas là, j'ai dit, entrez donc. Et c'est ce qu'il a fait, il est entré chez moi, et il ne s'est pas fait prier pour s'asseoir – je devrais dire, pour s'avachir, ainsi qu'il a fait dans le canapé, tandis que j'ai commencé à chercher dans la cuisine ce que je pourrais lui offrir ou boire aussi moi-même, parce que j'ai compris qu'on en avait pour un moment ensemble et que le mieux peut-être, c'était qu'on soit à égalité. Alors j'ai sorti une bouteille de whisky, oui, du whisky, j'ai dit au juge, ce soir-là j'ai eu envie de whisky.

Et en un sens ça l'a calmé un peu, de s'enfoncer là dans le canapé, avec son poids qui déjà affaissait les coussins, et je voyais bien qu'il essayait de se reprendre et de se redresser un peu. Même, il s'est remis à me vouvoyer et il s'est excusé, que peut-être, il a dit, il n'y avait que comme ça, dans cet état-là, qu'il pouvait venir jusqu'ici, qu'il n'y avait pas beaucoup de gens à qui il pouvait parler en ce moment, et puis que le premier à qui il devait des excuses, c'était à moi.

À moi ? j'ai demandé.

J'en dois à toute la ville, il a dit, à toute la ville.

Et il n'y avait pas besoin qu'il en dise beaucoup plus pour que surgisse là devant nos yeux, sous l'ampoule du plafonnier qui nous éclairait, comme la silhouette déformée des événements, c'est-à-dire la somme un peu floue des immeubles absents, des faux sourires, et des mille billets de banque.

À moi vous pouvez le dire, il a repris, vos cinq cent mille francs, je sais bien où ils sont.

Bon, et alors ? j'ai dit, qu'est-ce que ça change ?

Oh pas grand-chose, il a répondu, pas grand-chose. Et se reservant déjà, comme noyant son regard au fond de son verre, il a seulement ajouté : Moi, vous savez, je suis plutôt là pour vous aider à faire une croix dessus.

Cette phrase-là, monsieur le juge, faire une croix dessus, monsieur le juge, je ne sais pas si j'ai compris tout ce qu'elle signifiait mais je sais que dans ma tête ça a fait comme une énorme bâche qui s'est mise à recouvrir la presqu'île tout entière, quelque chose comme une marée noire qui serait venue du fond de l'océan et aurait tapissé la rade de sa poisse. Et ça allait bien avec le vent qui soufflait, qui soudain avait l'air d'une nappe un peu épaisse et sombre lui aussi, ça allait bien avec cette soirée impossible où les choses, toutes les choses avaient l'air de se durcir et graviter comme autour d'une lune noire.

Le plus étrange peut-être, c'est qu'il ne m'apprenait rien, mais plutôt comme s'il avait apporté la dernière pièce qu'on pose en haut d'un château de cartes, celle dont on sait qu'elle fera tout s'écrouler, mais dont on a compris depuis longtemps que chaque étape précédente nous menait vers lui, l'écroulement, alors je crois que j'ai seulement dit, par orgueil aussi peut-être, j'ai seulement dit : C'est vous le maire, Martial, c'est à vous de faire quelque chose.

Mais lui, me regardant comme s'il avait pitié de moi ou qu'il avait un temps d'avance sur moi, lui, avec les yeux qu'il avait du mal à fixer quelque part, il a eu cette formule un peu sèche, il a dit : Faire quelque chose ? Non, il n'y a rien à faire, ça fait trop longtemps qu'il m'a attaché là, comme une chèvre à son piquet.

Je n'ai pas compris tout de suite ce qu'il entendait par là, qu'est-ce que ça veut dire à votre avis, j'ai dit au juge, « comme une chèvre à son piquet » ? Mais j'ai eu le temps de comprendre depuis, comprendre surtout qu'un certain Antoine Lazenec le savait déjà, ce que c'était qu'un piquet près duquel n'importe quel édile de France pouvait se retrouver avec la bride au cou, transformé en chèvre ou en âne – cela, oui, il le savait. Et qu'à Le Goff, c'est sûr qu'il n'avait pas peiné à la lui passer autour de la tête – non pas quelque chose qu'on aurait besoin d'étaler dans les journaux, plutôt comme une ceinture d'explosifs bien calée à la taille et qu'il n'avait pas intérêt à vouloir desserrer, ou bien ça exploserait.

Je ne comprends pas bien, a dit le juge.

Eh bien laissez-moi parler. Laissez-moi finir et vous verrez si vous ne comprenez pas. Moi, en tout cas, il faut croire que j'ai compris assez vite, il faut croire que ma pensée ce jour-là avec un whisky dans l'estomac, elle a su couper à travers champs parce que comme un éclair qui m'a illuminé l'esprit, j'ai demandé : Vous aussi, Martial, vous aussi vous avez investi ?

Alors Le Goff a relevé les yeux vers moi, il m'a regardé un peu plus fixement, un peu plus lourdement et il est resté comme ça un long moment, silencieux.

Le problème, monsieur le juge, ce n'est pas que Le Goff ait investi. Il aurait bien pu acheter dix appartements si ça lui chantait. Le problème, c'est qu'il a investi, oui, mais pas son argent à lui.

Non. L'argent de la ville. Il a investi l'argent de la ville, vous comprenez ? Dix appartements payés sur plan à peu près comme moi, sauf que dix fois cinq cent mille francs, cela fait cinq millions, et que cinq millions, pour une commune comme la nôtre, c'est le gouffre qui sépare la fortune de la ruine. Le Goff, la seule chose qu'il était venu me dire ce soir-là, c'était ça, qu'il avait ruiné la ville. Je crois qu'il l'a dit comme ça : J'ai ruiné la ville.

Il y a le mot providence qui m'est revenu à l'esprit, comme un parasite impossible à éradiquer, à cause de toutes ces années qui depuis l'avaient vu flétrir et pourrir sur pied. Le mot providence, je le voyais maintenant dans le salon, fissuré de toutes parts qui cognait sur les vitres et continuait de se désagréger, de s'évanouir comme s'il allait se glisser bientôt sous la porte close et éventer sa puanteur dans toute la rade. Et dans le silence qui pesait, Le Goff a fait un bruit avec sa bouche, une sorte de « pshitt » en même temps qu'il ouvrait la main dans l'air, comme pour dire, voilà, l'argent, tout l'argent, pshitt, il s'est évaporé. Et comme si d'un coup il avait dessoûlé, me regardant comme s'il allait faire une annonce grave lors d'un conseil municipal, il a conclu : J'ai tout foutu par terre.

Alors imaginez, moi qui n'étais jamais qu'un pauvre type embarqué dans la même histoire que lui, voilà que soudain il me confiait tout, quelque chose comme si on était frères ou je ne sais pas, que donc à force d'alcool et de résignation qui s'amplifiaient l'un l'autre, Le Goff, il ne voulait plus rien cacher et on aurait dit que toute sa nuit intérieure, elle était éclairée par, je ne sais pas, par...

La lucidité ? a dit le juge.

Oui c'est ça, exactement ça, j'ai dit, la lucidité. Vous avez toujours le mot qu'il faut.

Et maintenant vous êtes dans le même bateau que moi, m'a dit Le Goff, et ce bateau, ça me fait mal de le dire, notre bateau à tous les deux, ça a beau faire dans les vingt-cinq ans qu'il cabote tranquillement sur nos côtes, ces derniers temps, il a embarqué plus d'eau qu'il n'en peut pour flotter. Peut-être même qu'il est l'heure de le quitter.

Et je ne sais pas ce qu'il aurait encore ajouté, Le

Goff, ni dans quel tourbillon de paroles il nous aurait entraînés si à cet instant la porte ne s'était pas ouverte un peu violemment, le vent soudain s'engouffrant dans le salon, et qu'on n'avait pas vu la silhouette d'Erwan se dessiner là, devant nous, son écharpe de supporteur encore nouée sur le cou.

Et ça nous a fait sursauter bien sûr, moi si surpris de le voir, comme s'il n'avait rien à faire là, comme s'il était encore un enfant endormi dans sa chambre alors que non, bien sûr, Erwan, ce n'était plus un enfant depuis longtemps. Et maintenant j'arrivais à oublier les années qui venaient de s'écouler, qu'Erwan était passé de onze à dix-sept ans sans que je voie rien d'autre que le gouffre qui s'était ouvert sous mes pieds, et je l'avais comme oublié – oublié qu'il avait l'âge de veiller et de sortir tout seul, et de rentrer là sans crier gare. Mais s'il y en avait un qui devait être surpris, c'était plutôt lui, de nous trouver là à une heure pareille, la bouteille presque vide de whisky, l'odeur encore flottante de nos conversations sortie du fond des verres.

Et si vous aviez pu voir son regard à cet instant, nous dévisageant comme deux animaux dans un zoo, avec sa voix d'adulte désormais il a seulement dit « c'est quoi, ce bordel ? » et j'ai senti que ce n'était pas le moment de discuter. Erwan, en grandissant, il était du genre nerveux. À lui vous n'auriez pas enlevé les menottes. Il vous aurait déjà sauté au cou trois fois pour vous étrangler – comme quoi on n'est pas toujours les mêmes, les pères et les fils, et si j'ai compris quelque chose dans cette histoire, c'est bien qu'il y a un moment vos enfants, ils ne sont pas le prolongement de vous. Mais combien d'années il faut pour se rendre compte de ça, oh pas tant nous, mais eux, combien d'années il leur faut pour un jour comprendre qu'ils ne sont pas le bras armé de nos rêves et de tout ce que nous n'avons pas fait dans la vie, oui, qu'ils ne sont pas là pour rattraper nos conneries ?

Et le juge avait l'air de compatir, du moins son visage en empruntait tous les signes.

Quel âge il a, votre fils ? j'ai demandé.

Sept ans.

Alors vous ne connaissez pas encore tout ça.

Il a fait non de la tête, pas encore.

Sept ans, j'ai repris, vous savez ce qui nous est arrivé quand Erwan avait sept ans ? Je crois bien que toute la ville s'en souvient. Je ne dis pas que ça explique quelque chose mais ce jour-là pourtant, j'ai failli mourir devant mon propre fils, oui, devant Erwan, et même, devant la ville tout entière. Je m'en souviens comme d'hier. Il y avait la grande roue installée dans la ville, sur la place de la mairie. Je crois que c'était la première année qu'elle tournait comme ça au-dessus de nous, avec les nacelles qui dessinaient une grande horloge dans le ciel, alors

126

c'était normal que je propose à Erwan d'y faire un tour. J'ai acheté deux tickets, et on s'est installés l'un en face de l'autre, Erwan et moi, sur la banquette ronde en faux cuir, et je lui ai dit de ne pas bouger parce que ça pouvait être dangereux et parce que j'ai toujours eu le vertige, plus encore pour les autres que pour moi – là, forcément encore plus, avec mon propre fils, avec le balancement des nacelles dans le vent et la ville qui se réduisait comme un poster à mesure qu'on montait. Oh on la voyait bien, la ville, au loin notre presqu'île et même notre maison qu'on supposait au milieu d'elle, et il n'était pas encore question de divorce ni de Lazenec ni de rien de tout ça, et pendant quelques minutes c'était magnifique, arrêtés là-haut dans le ciel, la mer presque à nos pieds, oui, c'était magnifique. Et puis donc la nacelle est redescendue. Alors quand on est arrivés en bas, près de la rampe de bois, forcément j'ai sauté en premier pour aider Erwan à descendre, et une fois sur le sol, eh bien, j'ai tendu les bras pour l'attraper. Seulement, à ce moment-là, au moment où je l'avais presque dans les bras, je ne sais pas ce qui a pris au gars qui était aux manettes, il regardait ailleurs ou je ne sais pas mais le fait est que la grande roue s'est remise en marche, d'un seul coup, le manège est reparti, alors Erwan, il a été comme projeté en arrière dans la nacelle et je ne sais pas ce qui m'a pris, de voir Erwan tout seul au-dessus de moi, de le voir partir sans moi, par réflexe au lieu de le laisser s'envoler, j'ai accroché mes deux mains à la barre métallique, et j'ai commencé à monter moi aussi, sauf que j'étais à l'extérieur de la nacelle, imaginez, les bras accrochés au balcon de fer et tout le corps suspendu dans le vide, à sentir que je m'élevais lentement comme dans une montgolfière. Je vous jure que ça monte vite, vu de l'extérieur, une grande roue, quand personne ne se rendait compte de rien à part moi, à part moi et Erwan bien sûr qui s'était mis à crier et à pleurer et moi-même je n'ai pas mis longtemps à crier comme un sauvage en disant : mais arrêtez cette machine, mais faites-moi descendre, et sans parler du chapelet d'insultes que j'ai balancées à ce moment-là. Il y avait la musique forte qui tambourinait dans les enceintes, de sorte qu'Erwan comme moi, on était recouverts par elle, avec le vent et le froid qui augmentaient à chaque mètre, et moi j'étais incapable de savoir combien de secondes encore je pourrais tenir comme ça tandis que la roue continuait de monter et monter encore comme une sorte de rouleau mécanique qui égrenait ses notes. Je pouvais voir les gens en dessous qui commençaient à regarder en se demandant quand j'allais tomber, dès lors qu'assez vite je me suis retrouvé à plus du quart de la hauteur, c'est-à-dire, je ne sais pas, vingt, vingt-cinq mètres peut-être, c'est-à-dire que forcément, forcément si je lâchais, j'étais un homme mort. Ça n'arrive pas souvent, n'est-ce pas, ces moments où on est presque mort, mais je vous promets qu'il y a comme un infini qui s'ouvre entre la survie et la mort, le genre de gouffre qu'on remplit de toute l'inquiétude qu'il faut pour se tenir tout seul en haleine et inventer à peu près tout ce que le cerveau compte de ruses pour épouser jusqu'à l'idée de la mort. Aujourd'hui, je ne sais pas si j'ai eu le temps de penser tout ça sur le coup ou bien si plus tard, si depuis il est resté comme une brèche qu'il faut encore colmater, mais c'est souvent que je me dis cela, que mourir ce n'est pas si grave, que si ça devait être fini bientôt, c'est à peine si j'ai besoin de croire que j'appartiendrai encore au monde physique, que je serai de la roche ou du sable ou même, allez savoir, peut-être qu'une partie de moi sera encore là dans mille ans, transformé dans une plante, mais je peux vous dire que j'en ai terminé depuis longtemps avec l'idée que quelque chose de moi va monter dans les airs.

Encore qu'à cet instant, pour ce qui était de monter dans les airs, j'étais comme un ressort qui se tendait vers le ciel et qui bientôt allait céder. Et tout ce que je sais, c'est que dans les yeux d'Erwan, il était écrit ça, la distance infinie qu'on ne comblerait plus jamais, et il y avait ses mains d'enfant qui essayaient de faire le tour de mes poignets, et moi je lui disais, non, Erwan, ne me retiens pas, tu tomberais avec moi, lâche-moi. Mais lui, sept ans, qu'est-ce qu'il pouvait savoir de sa préférence et de son envie de vivre après moi ? En un sens c'était trop tard pour lui expliquer tout ça, lui garantir tout ça, que bien sûr il pourrait vivre sans moi, que n'importe quel enfant peut tenir et grandir sans son père, et peut-être même, vu d'aujourd'hui, oui, il aurait mieux valu.

Mais je suis là devant vous. Je ne suis pas mort ce jour-là, parce que voilà, à force de hurler, le type de la nacelle en dessous a hurlé à son tour vers celui du dessous et ainsi de suite jusqu'à ce que ce même cri comme une grande chaîne humaine parvienne aux oreilles du gars dans sa cabine, qu'il comprenne ce qui se passe et qu'il arrête tout, et puis qu'aussi vite il fasse machine arrière, alors j'ai senti la nacelle qui s'arrêtait et puis qui doucement redescendait, le même film dans l'autre sens, oui, comme si on remontait le temps, qu'on l'effaçait, et qu'il ne s'était rien passé, que je ne m'étais pas accroché au balcon de fer, qu'Erwan n'avait pas pleuré, qu'on n'était jamais montés sur une grande roue – oh cette sensation, je m'en souviens, depuis, j'aurais aimé qu'elle soit possible encore, sentir que quelquefois dans nos vies s'enclenche la marche arrière.

Seulement, en temps normal, vous serez d'accord avec moi : de marche arrière il n'y en a pas. En tout cas je n'ai rien vu qui y ressemble dans mon histoire, sauf à dire que tout depuis va dans le sens inverse des aiguilles d'une montre, quelque chose comme si je m'étais endormi ce jour-là tout en haut de la grande roue et pas encore réveillé, que depuis j'entendais murmurer du fond de mes rêves et qu'Erwan n'avait pas encore grandi, je veux dire, n'avait pas encore vu son père s'affaisser chaque année dans la mousse de son canapé, une calculatrice à la place du cerveau, sirotant des bouteilles avec ses vieux amis de plus en plus rouges et de plus en plus gros. Mais Erwan a grandi depuis. Erwan boit du whisky et fume des cigarettes et ses épaules sont plus larges que les miennes.

Il peut bien dire que c'est moi qui ai vieilli, il peut bien dire que par fatigue ma nuque se courbe au bruit des mille combats qu'il conviendrait de mener, mais au fond il commence seulement à comprendre que c'est lui qui a grandi, que c'est lui qui n'a plus besoin de se mettre sur la pointe des pieds pour m'embrasser, et alors au fond de lui, il découvre la seule chose qui forcément l'inquiète : que son père c'est moi, et seulement moi. Voilà ce qu'on découvre à dix-huit ou vingt ans. Qu'on aura le même père toute la vie. Que toute sa vie on la passera avec les mêmes fantômes. Les mêmes chanteurs à la radio. Les mêmes hommes politiques. La même enfance sur le dos.

Il n'est pas resté longtemps avec nous, Erwan. Aussi vite il a tourné les talons et il est allé s'enfermer dans sa chambre, mettant la musique forte qu'il voulait qu'on entende. On a failli éclater de rire, Le Goff et moi, comme deux sales gosses pris en flagrant délit qui se soutiennent chacun de l'éclat de rire de l'autre. Et puis voilà, on a entendu la porte de la chambre claquer, on s'est regardés et on n'a pas ri. Alors Le Goff s'est levé, il a pris appui comme il pouvait sur les accoudoirs mous du canapé, et il a lancé un peu las : Je crois que je vais y aller.

Et maintenant, c'était étrange, je ne voulais pas qu'il parte. Je ne sais pas si c'est l'appel du vent dehors ou le sentiment que ma maison était trop petite pour nos colères ou seulement qu'il n'était pas si tard mais enfin, j'ai dit : Je vous raccompagne, Martial, ça me fera du bien. Et c'est ce qu'on a fait. On s'est levés un peu vite. On a enfilé nos vestes. On est sortis.

On a marché dans le vent de la nuit et c'était clair

que j'avais rattrapé mon retard, je veux dire, là, dans l'air humide, j'étais aussi soûl que lui, aussi léger que lui, avec l'alcool et le vent qui faisaient comme deux serre-livres qui nous maintenaient droits, parfaitement droits dans la nuit claire.

Il y a deux choses que je voudrais remercier quelquefois, j'ai dit au juge, c'est le vent et l'alcool. Oui, l'alcool. Ça vous choque peut-être que je dise ça, d'autant que vous ne me feriez peut-être pas même boire une bière à l'heure qu'il est, mais je jure qu'avec le vent ils font un alliage hors pair, et certains soirs, même le plus mauvais des whiskys, même celui qui vous tordra l'estomac toute la journée du lendemain, n'oubliez jamais qu'il vous répare le cœur, déchire le cœur, oui, mais pour le réparer, pour le vider de toutes ses toxines accumulées des mois durant et qui soudain ne circulent plus dans vos veines parce qu'elles ont été éliminées par des litres d'alcool et de sommeil oublié. Cela, n'oubliez jamais que vous le devez à toutes ces choses que vous ne ferez qu'à certaines heures et dans certains états, toutes ces pensées que vous n'aurez qu'à certaines heures et dans certains états, et qu'elles, ces pensées, elles sont comme le plus puissant détergent que je connaisse.

Ce même détergent qui nous a emmenés jusqu'à la plage en contrebas, la mer énervée sous nos yeux. Cette nuit-là, je peux seulement vous dire que Lazenec, avec tout ce vent dehors, tout cet alcool dedans, ça nous a fait du bien de l'insulter en regardant la mer et disant qu'on n'allait pas lui laisser la place comme ça, à ce gros con. Et on criait sur l'océan. Ce fumier. Et presque c'était comme un concours. Cet enfoiré de sa mère. Avec chaque insulte qui ricochait sur l'eau. Ce salaud. Et le vent qui les emportait loin. Ce gros connard.

Quand je suis rentré plus tard, je me souviens d'Erwan assis là, dans le salon, les jambes croisées comme dans une salle d'attente, avec cette façon bien à lui de m'attendre, cette façon bien à moi de tourner si doucement la clé dans la serrure pour ne pas le réveiller, comme s'il avait pu seulement s'endormir. Il y avait la bouteille de whisky qu'il regardait comme une preuve retenue contre moi. Il m'a demandé ce que Le Goff faisait là – qu'est-ce qu'il foutait là, il a dit exactement.

Et je ne sais pas si c'est d'avoir soutenu son regard depuis ce fauteuil d'où maintenant sa tête dépassait largement, mais le fait est que ça a fait comme une fêlure en moi, de l'entendre me parler comme un père à son fils, oui, vous avez bien entendu, un père à son fils, et parce qu'en ouvrant la porte, en débarquant là dans ma propre maison, j'étais cela soudain, un adolescent qui méritait une bonne raclée. C'était comme si moi-même maintenant j'étais au fond de sa poche parce que c'est sûr que c'est là que j'aurais voulu être à cet instant, caché dans les replis de l'aine, pourvu de pouvoir échapper à la honte ou je ne sais pas quel sentiment peu louable d'un père envers un fils.

Et il s'est servi un whisky, et ça m'a fait bizarre, mon propre fils avec un alcool aussi fort dans la main, portant le verre à ses lèvres.

Tout ça ne te concerne pas, j'ai dit, ce sont des histoires d'adultes. Toi, si tu étais un garçon normal, tu ne serais pas là à veiller sur moi, à cette heure un samedi soir tu devrais être avec une fille ou bien, je ne sais pas, dans un bar à boire des bières avec tes amis, mais ne pas t'occuper de choses qui ne changeront pas ta vie. Voilà, j'ai dit, à ton âge on s'occupe des choses qui changent la vie.

Lui, il a seulement continué de boire son whisky et, recrachant la fumée de sa cigarette, on aurait dit qu'en elle, la fumée, dans le nuage qui se formait devant son visage, était écrite toute la réponse qu'il me faisait, sans que je puisse distinguer dedans ce qui relevait de l'esquive ou bien de l'insolence. Et puis voilà, on n'avait sans doute pas fini notre conversation, on a entendu comme une détonation, un bruit sourd et profond dans la nuit. Je crois que j'ai compris tout de suite. Je crois que j'ai dit : Le Goff.

Il y a toujours cela, un jour et une heure où les choses basculent et alors on ne peut plus faire comme si – je veux dire, comme si ça n'avait pas eu lieu. Ce n'est peut-être qu'un grain de plus qui tombe dans le sablier, mais enfin c'est le grain de trop, après quoi plus rien n'est pareil, tout s'écroule ou se succède, les événements tombent les uns sur les autres comme les vers d'un poème.

Je crois qu'on l'entendait encore, la balle, sous les parapluies noirs qui recouvraient la tombe le vendredi suivant, ayant cogné les murs du clocher pendant trois jours au moins, rebondi dans le balancement du glas avant de maintenant siffler dans les allées du cimetière. Là, au milieu du village convoqué par centaines, son écho se confondait avec le battement de nos cœurs, les crissements du gravier, le martèlement de la pluie – puisque donc il pleuvait.

Il y avait Lazenec bien sûr. Il y avait moi regardant Lazenec, entre nous seulement l'espace d'un caveau ouvert, et le cercueil qui descendait lentement, retenu par les marbriers qui le déposaient là, à sa place pour toujours.

Une chose est sûre, monsieur le juge, si on avait regardé d'où elle venait vraiment, cette balle de fusil que Le Goff s'est logée dans le crâne quelques jours plus tôt, si on avait bien voulu voir la vraie provenance de la balle, je ne dis pas la vraie provenance dans les faits, je dis la vraie provenance dans la pensée, la vraie provenance dans le circuit intérieur des images et des hontes, alors on n'aurait pas hésité longtemps pour savoir qui avait appuyé sur la détente.

J'ai jeté une rose sur le cercueil et puis d'autres après moi, des dizaines, et elles tombaient comme des larmes de couleur sur le bois noir. Sous la pluie véritable qui ne s'arrêtait pas, chacun son tour on s'est recueilli un instant, les amis, les maires voisins, les habitants, et puis Catherine bien sûr, une main sur son chapeau, à cause du vent qui soufflait fort encore ce jour-là. France aussi était là. De noir vêtue aussi. Je n'ose pas dire qu'elle avait de la classe, France, parce que nous autres, on reste tous bien rangés dans la catégorie « gens ordinaires » mais ce jour-là, à cause du tulle noir qui recouvrait son visage, les talons hauts qu'elle portait et la veste en velours nouée jusqu'au col, j'ai trouvé qu'elle était belle, sans savoir ce qui déclenchait en moi cette idée, ou pas vraiment une idée, un sentiment peut-être, encore que je n'aie jamais bien distingué entre une idée et un sentiment.

137

France n'a pas voulu nous suivre, ensuite, à la mairie, quand après le cimetière on avait organisé un dernier hommage dans la salle des cérémonies, France s'est éclipsée comme elle savait faire, et quand à un moment parmi la foule venue là jusqu'au cimetière, on l'a cherchée du regard, Erwan et moi, elle avait disparu. Même Erwan, ce jour-là, il n'était pas l'adolescent frondeur qui me prenait de haut, parce que je crois que ça l'a secoué aussi, la mort de Le Goff. On a marché côte à côte vers la salle de la mairie, indifférents à la pluie, indifférents à l'eau ruisselante qui imbibait nos chaussures et nos vestes.

Enfin donc on s'est retrouvés là, dans cette même salle autrefois si festive, et il fallait bien aider à préparer un peu, remplir les verres vides sur les nappes de papier. Je suis allé dans la réserve pour prendre quelques bouteilles. Là, dans un coin, il y avait la maquette des Grands Sables qui vieillissait seule. On pouvait encore distinguer les petits personnages de plastique qui semblaient manquer d'air à cause de la poussière qui s'accumulait sur le verre, et ça faisait comme de la buée qui finirait par les asphyxier.

J'ai rapporté les bouteilles sur la table du buffet et puis voilà, chacun a mangé son morceau de brioche et bu son verre de cidre, en ce genre de moments qu'on dirait pour faire un sas avant de reprendre la vie normale, quelque chose pour nous sortir de la mort ou de l'idée de la mort, comme si toujours aux enterrements on plongeait un moment avec eux dans le caveau, nos morts, et qu'on avait inventé mille stratagèmes pour ensuite en revenir et se défaire d'elle, la mort toujours, qui semble vouloir encore longtemps coller à nos vêtements. Là, un verre de cidre à la main, il n'y avait bien que lui, Antoine Lazenec, qui semblait n'avoir rien laissé dans le fond du caveau – cela, je peux vous le garantir, du moins si je m'en tiens à la manière dont il s'empiffrait de brioche en retenant par décence un peu plus ses sourires. Et nos regards se croisaient. Dans ces longues minutes au milieu des silhouettes assombries de chacun se restaurant en oubliant Le Goff, Lazenec et moi, on était comme deux cerfs dans la forêt qui s'observent et ne savent pas trop s'il faut engager le combat.

Mais voilà qu'au moment où j'allais reprendre mon manteau au vestiaire, tandis qu'Erwan était déjà sous le porche à l'extérieur à m'attendre en fumant, Lazenec s'est approché très vite de moi et il s'est mis à me parler comme il savait faire, que c'était terrible, il a dit, ce qui s'était passé, que de vous à moi, il a dit, je n'aurais pas pensé que Le Goff était si fragile.

J'ai répondu que oui, c'était terrible, en effet, et déjà j'enfilais mon manteau pour partir, quand il avait l'air de m'avoir pris à part et déjà isolé de la foule, et qu'il s'est mis à ajouter des choses un peu vagues, que dans le monde de la politique, c'est malheureux à dire mais il faut être solide, que peut-être Le Goff, il était plus ténébreux qu'il en avait l'air, poussant la conversation de plus en plus loin – moi, acquiesçant sans paroles, parce que de toute façon il n'y en avait pas qui conviennent à cet instant, des paroles face à lui, seulement quelques haussements d'épaules comme pour dire : je n'en sais rien, sûrement il avait ses raisons, on ne connaît jamais vraiment les gens, vous savez.

Et au fond de moi, je me disais : qu'est-ce que tu veux savoir, Lazenec, qu'est-ce que tu crois que je sais et qu'est-ce que ça peut te faire ? Et pour un instant, c'était comme si le démon à l'intérieur de lui, j'en avais vu la figure sombre et nue, comme si même elle s'était mise à danser sous mes yeux en toutes ces phrases bien tournées qui faisaient comme une partition. Et je me disais encore : maintenant je suis comme une mauvaise herbe qu'il voudrait arracher, une mauvaise herbe dont il craint qu'elle repousse et repousse infiniment, et c'était comme un bras de fer de silence et de phrases truquées, comme si on déplaçait chacun des pions sur un échiquier. Là, dans le décor un peu gris de la mairie, c'était une sorte de Yalta local, quand en quelques poignées de main tout a l'air de se redessiner, lui se demandant à quel piquet moi aussi, âne ou chèvre ou chien battu, à quel piquet il pourrait encore m'enchaîner, et sans même se rendre compte alors que j'y étais déjà, enchaîné comme le chien de la fable.

Enchaîné à quoi ? a demandé le juge, vous n'étiez enchaîné à rien du tout, à votre orgueil peut-être ?

Non. Ce n'était pas de l'orgueil. Vous ne connaissez pas ce sentiment, lorsqu'il traîne encore au fond de vous une chose étrange, insondable et, diriez-vous, absurde, bien sûr, absurde, mais le pire, c'est que pour cette chose absurde qui traîne au fond de vous et vous empêche de tout lâcher, nous avons inventé un joli mot, et que ce joli mot, c'est « espoir ». J'ai dit cela au juge, précisément cela, avec ce ton-là, pour que dans ma voix il puisse voir lui aussi les guillemets qui faisaient comme un liseré d'or autour du mot « espoir ».

Mais espoir de quoi ? il a dit.

Et cette fois sans baisser le regard, cette fois comme un droit que j'aurais revendiqué devant n'importe quel chef d'État, j'ai dit : Espoir de récupérer mon fric.

Alors le juge d'un coup s'est affalé dans le fond de son fauteuil et il a eu l'air d'encaisser ma phrase comme un spectateur dans un vieux cinéma, en se demandant seulement comment le film finirait, ou peut-être, même, si ça finirait un jour.

Vous ne savez pas ce que c'est, j'ai dit, de l'argent dans un cerveau, ça n'a rien à voir avec ce que vous pourriez faire avec ou ce qui vous manque au quotidien, je veux dire, si j'avais eu la capacité un seul instant de convertir cet argent en tel bien-être matériel, alors je me serais assis dessus comme sur le premier coussin venu mais ce n'est pas ça, ça n'a pas à voir avec l'argent en tant qu'argent, non, ça a voir avec un morceau de chair arraché de force, vous comprenez, un morceau de chair à vif qui brûle sans discontinuer, comme si lui, le cow-boy, il m'avait endormi d'abord sur une table d'opération et enlevé un organe, je ne sais pas lequel, le cœur peut-être, quelque chose de très important en tout cas, qu'il me l'avait enlevé et que depuis je ne m'étais pas réveillé, et que seulement quand j'aurais retrouvé cet organe, seulement ce jour-là je pourrais me lever et reprendre une vie normale et féconde. C'est ainsi, même quand vous sentez que tout est perdu, même quand vous ne regardez plus vers l'avenir, il reste que les marches du désespoir, vous les descendez très lentement, une à une, mais jamais toutes en même temps. Je vous jure qu'il y a quelque chose dans votre cerveau qui vous empêche de les dévaler.

Alors oui, parmi les mille neuf cent cinquante jours jusqu'à hier, j'ai attendu mon argent, vous entendez bien, jusqu'à hier – oh pas les bénéfices de cet argent, pas les pourcentages miroités que sûrement, pendant les cinq cents premiers jours, j'ai recalculés à l'envi – non, cela, je n'ai pas mis si longtemps à comprendre que je ne les recevrais pas, mais la mise de départ, vous comprenez, les cinq cent douze mille francs, voilà, j'en étais encore là, avec cette idée qu'on peut toujours faire machine arrière, comme la grande roue qui se met à redescendre par magie au moment où vous y croyez le moins, qu'un jour pareillement dans ma tête, à la place de toute cette histoire, il y aurait une page blanche effacée à la gomme magique, qu'alors quand je serais en train de pêcher un bar de ligne sur mon Merry Fisher à moi, je pourrais sourire en repensant à tout ça. Mais ça ne marche pas comme ça. Maintenant je le sais. Et Lazenec aussi, sans doute, il le savait. Alors la seule chose que j'ai trouvée à dire, là, en face de Lazenec et nos verres de cidre qui ne pétillait plus, la seule chose que j'ai dite pour clore la conversation, c'est seulement : Monsieur Lazenec, vous ne croyez pas que vous avez été au bout cette fois ?

Et c'est presque étrange mais cette simple phrase, cette simple fausse question, ça a eu l'air de le soulager, comme si j'avais dit, en cette seule formule plus sibylline encore que les siennes, comme si j'avais dit : Laissez-moi tranquille et je vous laisserai tranquille. Et il a eu comme un sourire, s'il faut appeler ça comme ça, un sourire.

Le juge m'a dit : Un rictus, vous voulez dire un rictus ?

Mais j'étais obligé de lui dire que non, que je connais ce mot-là, rictus, et que si j'avais dû l'employer, bien sûr je l'aurais employé mais là, non, ce n'était pas un rictus. Un sourire, j'ai dit.

Ensuite je lui ai tourné le dos et j'ai rejoint Erwan dehors, Erwan qui allait et venait devant les portes vitrées en finissant sa cigarette, la tête protégée du genre de capuche qui sait si bien le couper du monde alentour. Mais je sais, moi, qu'il a suivi toute la scène. Je sais qu'il n'a pas eu besoin de savoir lire sur les lèvres pour établir l'état des forces en présence entre Lazenec et moi pour les subir, vous comprenez, parce que ces choses-là, il faudrait être vraiment naïf pour croire qu'elles se tiennent dans une langue faite de phrases, quand n'importe quel enfant de cinq ans sait déjà lire dans la courbure des épaules ou les mouvements de la nuque, sait déjà lire qui tient l'autre et l'écrase d'une seule main.

Mais il n'a rien dit, Erwan, se mettant à marcher de cette démarche fuyante d'adolescent qui ne sait pas quoi faire de son corps et les mains dans les poches comme pour dire qu'il était calme ou peut-être insensible ou peut-être au contraire, pour masquer la violence et ses nerfs tendus, les poings sûrement serrés en attendant tel soir plus grand que les autres vu qu'Erwan, j'ai compris depuis, tout ça, ça l'habitait bien plus que moi.

Quoi, qu'est-ce qui l'habitait plus que vous ?

La lutte des classes, j'ai dit. Et pour la première fois depuis que j'étais entré là, dans ce bureau face au juge, j'ai souri.

Ce n'est pas faute de lui avoir menti à Erwan, d'avoir essayé de lui mentir, pour son bien, pour notre bien à tous, pour la paix sociale, vous comprenez, je lui ai dit que tout s'arrangerait bientôt, là, sur le chemin pluvieux qui nous ramenait chez moi, je lui ai dit qu'on avait beaucoup parlé avec Lazenec, que bientôt, bientôt il y avait beaucoup de choses qui allaient changer, tandis qu'au plus profond de moi, je sentais qu'aussi bien j'aurais pu commencer par la seule phrase déjà conclusive qui méritait d'être dite, quelque chose comme « voilà, ton père est un crétin, ton père s'est fait avoir sur toute la ligne et maintenant il se couche et il rampe et toi tu es son fils et tu le regardes tomber ». Et de seulement m'imaginer dire cela à mon fils, j'avais l'impression de m'alléger de tout le poids qui me pesait depuis tant d'années, comme si je rêvais de descendre une longue série de marches vers le vide et qu'au fond de ce vide il y avait peut-être une sortie souterraine, une lumière qui allait émerger du fin fond d'une cave où je déposerais une à une toutes les armes depuis si longtemps maintenues en surface de ma peau cuirassée. Mais bien sûr je n'ai rien dit. Nous avons seulement marché comme ça, dans le silence humide.

Il n'y avait pas très long de la mairie jusque chez moi, un kilomètre à peine sur les trottoirs saturés d'eau, avant d'arriver là, dans l'allée du château, anciennement le château bien sûr mais il restait la maison, notre maison, comme un poste-frontière encore dans un pays en guerre. Il faudra venir voir un jour, j'ai dit au juge, les photographies ça ne suffit pas, il faut voir ce que ça fait, cette maison si seule maintenant au milieu d'un champ de terre, comme perdue dans la vase. Dans cette région déjà, on a vite fait de se perdre, à cause de l'épaisseur des nuages ou je ne sais pas, les arbres qui font comme une fausse mangrove et ont l'air de tomber dans la mer. Un jour je vous emmènerai, il y a des endroits ici, au fond de la presqu'île, qui ressemblent à l'Amérique du Sud. Je ne suis jamais allé en Amérique du Sud, mais j'ai vu des choses à la télévision, j'ai vu les rivières limoneuses où les arbres jettent un regard de fatigue sur l'eau grise, eh bien quelquefois ici c'est pareil, et alors on sent qu'on peut y perdre son âme, en tout cas qu'elle glisse sans mal dans les branches des arbres, dans le camaïeu de vert qui borde l'eau et les murets de pierre, qu'elle est prête à se perdre dans l'étendue plane et les dunes pierreuses qui hésitent où finir. Il faut comprendre cela, j'ai dit au juge : passé le goulet d'étranglement, ce n'est plus le large océan ni la force du vent qui vous époumone, mais presque l'eau stagnante, l'odeur de vase qu'on trouve dans les rivières, voilà à quoi ça ressemble, le fond d'une rade. En un sens, la rade, c'est l'océan moins l'océan.

Et comme on arrivait là sous l'auvent, comme on regardait notre solitude enfouie là dans la terre renversée, je me souviens d'avoir dit à Erwan : Maintenant, je voudrais au moins que l'herbe repousse, seulement cela, de l'herbe qui pousse et dissimule. Mais avant d'engazonner, avant d'effacer les violences faites au sol, il faudrait nettoyer, j'ai dit.

Lui, le regard droit vers le large, comme s'il avait visé entre les falaises qui refermaient la rade, sans ciller ni tourner d'un centième la tête vers moi, il a seulement répondu : Oui, il y a beaucoup de choses qu'il faudrait nettoyer.

Et on était comme deux acteurs qui n'auraient pas osé se faire face, plutôt regardé vers le public,

146

si le public c'était la rade tout entière, l'eau, le ciel et la boue tous les trois attentifs et retenant leur souffle. Moi aussi je regardais vers le large, le tombé des roches qu'on distinguait mal avec la pluie qui embuait le ciel, moi non plus je n'ai pas tourné la tête d'un centième vers lui quand dans le silence on partageait bien assez nos pensées, quand le langage lui-même est un luxe inutile, puisqu'il n'y avait rien de plus à dire, rien de plus à comprendre, du moins si comprendre c'est faire une phrase qui justement s'articule et s'éclaire avec des « donc » et des « alors », mais non, comprendre là-dedans, j'ai dit au juge, c'est plutôt ressentir profondément, là, oui, là, et alors j'ai mis le doigt, non pas sur le cœur, non pas sur le front, mais sur l'estomac, là, en dessous du plexus, oui, là, comprendre, ça fait une douleur que les hommes, je vous jure, connaissent depuis l'Antiquité, sans trop savoir jamais si ça brûle ou pique ou détruit.

Tous les deux abrutis par le vent et la pluie.

Tous les deux toujours là posés face à la mer. Sauf que la mer soudain, elle faisait comme une impasse. Et parmi les quelques mots qu'il était parvenu à extraire du silence, Erwan a demandé :

Et qu'est-ce que tu vas faire maintenant ?

Qu'est-ce que tu veux que je fasse, j'ai dit. Ce genre de type, c'est comme la pluie, y a rien d'autre à faire qu'attendre que ça cesse.

Mais vous croyez quoi, j'ai dit au juge, qu'un gosse de dix-sept ans peut supporter ça sans broncher ? Non, bien sûr que non. Alors il a continué de fixer l'horizon ou plutôt l'absence d'horizon et vous savez ce qu'il m'a dit, mon propre fils, vous savez ce qu'il a dit, qu'il avait dû ruminer des heures dans la crainte et la douleur de sa chambre, il a demandé toujours sans me regarder, il a demandé : Tu comptes finir comme Le Goff ?

Je n'ai pas répondu. Je ne pouvais pas répondre. J'étais comme une ombre invisible à côté de lui, une ombre atone et silencieuse qui aurait seulement voulu l'apaiser et l'envelopper de toute sa douceur, ma douceur, oui – encore aujourd'hui je voudrais bien déposer ça sur lui, cette même douceur qui faisait si mauvais ménage avec quoi, sa colère peut-être ou bien sa peur peut-être et je veux bien admettre que j'aurais dû plus souvent l'apaiser, plus souvent faire taire le vent qui sifflait le long des plinthes, au lieu de quoi, j'ai compris maintenant, oui, j'ai compris, Erwan, c'était comme une pile électrique que j'aurais chargée toutes ces années sans discontinuer.

III

Je suis allé le voir souvent ces derniers temps, Erwan. J'ai eu le temps de l'observer à travers la vitre du parloir. J'ai vu les nouvelles rides formées sous ses yeux. J'ai pensé : ce n'est pas de la fatigue, il a seulement vieilli plus vite que son âge et c'est quand même à cause de moi. Non. Pas à cause de moi. À cause de Lazenec. Le même Lazenec qui témoigna contre Erwan à la barre du tribunal. Le même Lazenec qui surjouait la victime comme il savait si bien faire, disant : Vous savez, madame la présidente, la violence ça ne résout rien, moi, j'ai peut-être des défauts mais jamais je ne règle les choses par la violence.

Et puis j'ai vu Erwan debout à la barre qui allait se mettre à parler. Je me souviendrai toujours de ça, j'ai dit au juge, quand je suis entré dans la salle d'audience et que j'ai cherché Erwan du regard dans le box des accusés, lui debout menotté, s'appuyant à la barre métallique comme à la proue d'un navire, brillante un peu du néon qui la surplombait, déjà pleine de moiteur des jugements précédents. Il y avait beaucoup de monde sur les bancs de bois, venu là, on aurait dit comme au cinéma, et Erwan seul dans la lumière qui n'osait pas me regarder. Maintenant que j'y pense, je ne saurais pas dire s'il m'a vraiment regardé une seule fois ces derniers temps, toutes ces heures d'audience dans la salle du tribunal, toutes ces visites au parloir ces dernières semaines.

Et puis la présidente depuis son estrade a lancé les débats, elle a dit exactement : Erwan Kermeur, reconnaissez-vous les faits qui vous sont reprochés ? Et à son tour très distinctement, très posément il a dit : Oui, je les reconnais.

Il a tout raconté, Erwan, dans les moindres détails : comment il a pris les clés de ma voiture sur le buffet de l'entrée et comment il est sorti. Comment il a roulé sans permis jusqu'au port de plaisance et puis s'est garé là, le long des grillages qui protègent les chantiers. Comment il a contourné les hangars et marché jusqu'au bassin qui abritait les voiliers et les bateaux à moteur. Abritait, c'est un bien grand mot, malmenait serait plus juste : malmenait les bateaux et les secouait sans répit vu le vent qui soufflait ce soir-là. Peut-être il était minuit et il n'y avait plus personne nulle part, seulement les mauvais génies issus des flots et qui se dressent devant vous sur chaque crête d'écume blanche, et murmurent à votre oreille quelque mauvaise action. Imaginez, un soir de novembre, dans le bruit du vent par force 8, quand plus rien ne protège rien et que les sifflements du vent ont l'air de se déplacer plus vite que des rapaces hurlant dans l'air, non, il n'y avait personne, absolument personne, a dit Erwan, sinon vous pensez bien, il a dit, je ne l'aurais pas fait.

Il a ouvert le petit portillon du ponton A, écrit dessus « réservé aux plaisanciers », se retenant seulement de glisser le long de la passerelle de fer, et dans le bruit des drisses mal raidies qui cognaient contre les mâts, dans celui des barres de flèches qui se tamponnaient les unes les autres, il est descendu vers le ponton. Vous connaissez ce bruit, n'est-ce pas, le cognement métallique qu'on entend jusqu'ici quand le vent porte au nord, comme un orchestre incapable de s'accorder. Et puis donc il a mis le pied sur le ponton de bois, il a marché le long des lumières qui bordent les allées, ses pas étouffés sûrement par la folie du vent qui tournoyait entre les coques et puis voilà, il s'est arrêté devant un Merry Fisher qui n'avait pas dû bouger depuis deux mois, il est resté là debout à le regarder, ainsi qu'il l'a raconté lui-même à la présidente de la cour, à se faire tremper par les paquets de mer que la digue un peu plus loin essayait d'apaiser.

Il est resté un long moment comme ça, à seulement observer les mouvements du bateau, les à-coups qu'il donnait à ses aussières fixées sur les taquets, à l'arrière, à l'avant, sur les côtés, solidement attaché en prévision de jours comme ça, quand chaque centimètre supplémentaire de tension garantit de bien dormir en pensant à son bateau – moi, du moins, si c'était mon bateau, je doublerais les gardes et les pointes pour être sûr qu'il ne bouge pas, et encore je prierais pour que rien ne lâche. Mais voilà, ce n'était pas mon bateau. C'était celui de Lazenec. Et sans doute Lazenec n'a pas prié assez fort pour qu'un jeune imbécile – voilà, au moins une fois, mon fils, je l'aurai traité d'imbécile, là, devant vous, oui, c'est la première fois, mais vous n'imaginez pas, quelquefois, le bien que ça fait de dire du mal de son fils. Normalement, c'est l'inverse, normalement, on dit que c'est sain pour les enfants de dire du mal de leurs parents mais en réalité ça marche dans les deux sens, à cause de l'attachement fou qu'on a pour eux, alors de se faire croire quelquefois que votre enfant, c'est une personne comme une autre, se faire croire qu'on peut exercer quelque chose comme sa raison ou même seulement son jugement sur lui comme on ferait sur un inconnu, oui, ça fait du bien.

Et puis voilà, l'imbécile, mon fils, il a bien réfléchi, il a bien pesé chaque geste qu'il allait faire et puis il s'est penché sur le taquet fixé au ponton, il a pris l'aussière trempée de sel dans sa main, et il a commencé à desserrer le nœud, tranquillement, à faire glisser le bout dans sa propre boucle pour en défaire l'étreinte et lentement il a retiré la pointe qui empêchait le bateau de reculer. Il a dit : C'est la mer qui m'a demandé de le faire, toutes ces vagues qui s'abattaient sur nos côtes, toutes ces amarres qui maintenaient cet affreux Merry Fisher dans le trop dur clapot, c'était comme un cheval sauvage harnaché dans son box et qui ne demandait qu'à partir, je vous jure, madame la présidente, il hennissait sur l'eau à force de trop de mouvements, oui, franchement, madame la présidente, il fallait que je le fasse.

Et moi je l'entendais raconter ça, et je me disais, à chaque image si précise qui s'installait dans ma tête, je me disais, non, ce n'est pas possible, il n'a pas fait ça. Mais bien sûr que si. Il l'a fait. Il s'est avancé sur le ponton le long de la coque, il s'est approché des autres aussières qui continuaient de retenir le bateau, il s'est accroupi auprès de l'une puis de l'autre et il a desserré chaque nœud, défait un à un tous les bouts qui retenaient le bateau, oui, il les a détachés, détachés dans la tempête.

Et de fait, il fut libre, le Merry Fisher.

J'imagine, comment il a dû cogner comme un fou sur le bois des pontons, comment il a hésité peut-être entre avancer ou bondir ou reculer comme si seulement c'était lui, le bateau, qui décidait quoi que ce soit, comme s'il avait la moindre souveraineté à faire valoir mais en réalité, sur n'importe quelle mer un peu nerveuse, un bateau, qu'il appartienne à Lazenec ou au premier imbécile venu, ni la coque bien propre ni les quatre cents chevaux qui reposaient sous les deux moteurs aux hélices relevées, rien ne décidait de quel côté il se ferait balancer, ni quel rocher ou digue ou coque il irait cogner en premier, maintenant qu'il était comme un jouet d'enfant dans une baignoire agitée par tous les dieux de la vengeance et de la justice réunis, bientôt déchiqueté sur la côte et se remplissant d'eau.

Là, dans la salle du tribunal, pendant quelques instants ça m'a fait plaisir de voir Lazenec écouter ça, la débâcle de son affreux bateau, quand bien même le surlendemain il en avait racheté un, de Merry Fisher, le même exactement, avec l'argent d'un assureur véreux qu'il aura arrosé de vin blanc et d'ormeaux mais cela, à cet instant, je jure, ça n'avait aucune importance, comparé à ce plaisir-là, à celui d'Erwan qui continuait de raconter les faits, comme une machine sans états d'âme qui déversait dans l'ordre la suite mécanique de ses actes.

Puisque donc il y a eu une suite.

Puisque donc ça ne lui a pas suffi, à Erwan, de voir le bateau de Lazenec danser sur l'eau, non, tandis qu'il se tenait encore là, hagard sur les pontons, à force de voir tous ces bateaux comme autant d'insolences qui réveillaient une telle douleur en lui, je ne sais pas ce qui lui a pris mais il s'est mis à les détacher tous, un à un, tous les Merry Fisher et les Antares et n'importe quel traîne-couillon à moteur, il s'est fait tout le ponton jusqu'au bout, les trente bateaux un à un détachés dans la tempête, oui, il a fait ça et quand il le racontait devant la cour, presque il en souriait encore, de les voir tous comme des petits canards, il a dit, des petits canards dans une baignoire qui commençaient à s'entrechoquer, des auto-tamponneuses qui découvraient la joie mutuelle de se cogner, tous prêts à rejoindre leur grand frère déjà parti s'échouer sur la plage.

La une du journal le lendemain.

Toutes les télés de France venues là faire la même séquence : trente bateaux emmenés par le courant jusqu'à la plage, entassés là comme dans une casse de voiture, empilés selon la force des vagues qui les avaient rejetés. La foule aux rambardes qui admirait le travail. Et n'importe quel témoin disant : on n'a jamais vu ça. On n'a jamais vu ça.

Le juge ne bougeait pas. Là, entre lui et moi maintenant, on aurait dit qu'il y avait l'amoncellement des bateaux posés là en modèle réduit sur son bureau.

C'est vrai, j'ai dit, on n'a jamais vu ça. Mais maintenant vous comprenez, les cent mille volts que j'ai laissé glisser en lui toutes ces années, vous comprenez où ils se sont déversés.

J'ai essayé d'expliquer ça aussi à la présidente de la cour. Les circonstances. Oui, les circonstances, j'ai dit. Je ne cherche pas à vous attendrir, j'ai dit, mais enfin, il y a des circonstances.

Accroché à mon tour à la barre métallique, je me rappelle, la première phrase que j'ai dite devant la salle pleine, en m'adressant à la présidente en face de moi, j'ai dit : Vous connaissez les fables de La Fontaine, madame la présidente ?

Elle a hésité à sourire mais elle a seulement dit « continuez ». Alors je lui ai expliqué. Tout ce que je savais, moi. Tout ce que vous savez, vous. Les six années passées. Le château. L'argent. Le vide. L'enfance d'Erwan.

Moi, tout ce que je vous demande, j'ai dit, c'est de me croire quand je vous dis qu'Erwan, je m'en suis bien occupé. Toutes ces années ensemble, je ne l'ai jamais laissé traîner seul dans le bourg désert, je ne l'ai jamais planté à l'arrêt de bus avec les autres garçons de son âge, avec cette habitude qu'ils ont de venir s'ennuyer là, sous l'abri de béton les longs samedis après-midi mais Erwan non. Erwan, pour éviter ça, je prenais la voiture et on allait se promener, on allait sur les rochers ou simplement boire un verre sur le port et regarder les bateaux, oui, souvent on a fait ça, regarder les bateaux sur les pontons. Maintenant je me demande si c'est ce que j'ai fait de mieux.

J'ai dit ça à la présidente, que je m'étais trompé, que j'avais fait les choses à l'envers, et que sans doute c'est le sort des parents, j'ai dit, c'est le sort des parents d'un jour se retourner et craindre avoir failli. Je ne suis pas sûr qu'elle ait bien compris ce que je voulais dire, vu que je n'ai rien trouvé de mieux qu'un silence un peu lourd après ça, un peu sentencieux en fait, comme s'il avait fallu que moi-même je médite mes propres phrases, en même temps que j'ai cherché dans la salle les regards qui me soutiendraient, celui d'Erwan peut-être, et plus encore, oui, plus encore, celui de France : elle, assise tout à droite à l'opposé d'Erwan, moi au milieu, à

158

la barre – comme si, à tous les trois, nous avions pu dessiner un parfait triangle dont j'aurais été la pointe, tandis qu'en face de moi, symétriquement pour ainsi dire, il y avait la présidente derrière son estrade qui de sa seule présence, comme un aimant plus puissant, attirait la pointe du triangle à elle. Et je sentais qu'il fallait que je parle, que je continue à parler, pour que ce triangle-là, Erwan, France, moi, ce triangle ne disparaisse pas complètement.

Là, à la barre du tribunal, vous savez ce que j'ai eu envie de raconter devant l'assemblée ? À cause peut-être de la froideur métallique de la barre qui me retenait, ce que j'ai eu envie de raconter en regardant Erwan, en regardant France, eh bien, c'est le jour où je suis resté accroché à la nacelle d'une grande roue, suspendu dans le vide, et que je regardais les mains d'Erwan qui me serraient les poignets, qui essayaient de faire le tour de mes poignets, oui, j'ai eu envie de raconter ça. Mais je ne l'ai pas fait. J'ai seulement dit : Madame la présidente, dans toute cette histoire, Erwan n'y est pour rien – Erwan, il a seulement voulu m'empêcher de tomber.

Et je ne suis pas sûr non plus que c'était à elle que je m'adressais vraiment à ce moment-là, quand presque toujours mon regard quittait le centre pour courir vers la droite, vers France et ses yeux qui me fuyaient bien sûr, elle qui peut-être faisait tout pour ne pas me couvrir d'injures – et quoique là, dans la salle du tribunal, c'est tellement étrange quelquefois quand deux regards s'évitent à ce point, quelque chose en chacun d'eux sait qu'ils se cherchent et s'aimantent, comme si se dessinait, fluorescente, la ligne où ils refusent de se croiser, comme un champ magnétique à l'envers, deux aimants qui se repoussent mais qu'on ne cesserait de vouloir rapprocher, voilà, France et moi, tous les deux, comme si maintenant on se partageait la faute et qu'on la faisait remonter au fait même d'être parents.

Alors quand le verdict est tombé le lendemain vers midi, les deux ans ferme qui se sont abattus sur la tête d'Erwan pour vandalisme aggravé, atteintes à la propriété et troubles de l'ordre public, les deux ans ferme qui ont eu l'air d'assombrir jusqu'aux poutres qui tenaient le plafond, elle est sortie aussitôt, France, aussi vite qu'elle a entendu la somme des jours qui faisaient comme une nasse autour d'Erwan, je l'ai vue se lever et sortir, comme une journaliste qui serait seulement venue chercher une information – du moins c'est à ça qu'elle aurait voulu ressembler, non pas à une mère déchirée de l'intérieur, incapable de tenir plus longtemps sur sa chaise, incapable d'imaginer son fils derrière la vitre d'un parloir, mais à une journaliste indifférente et qui fait son travail, tout, pourvu de ne pas s'effondrer dans la salle en criant « Erwan », en criant « Martial » comme elle aurait eu besoin de le faire.

Une rumeur est montée dans la salle, un mouvement général de fin de séance, Erwan immobile dans son box, et les commentaires chuchotés de chacun. Alors je suis sorti à mon tour et on s'est retrouvés là, tous les deux, France et moi, dans le hall du palais de justice, sous les grandes vitres qui dominaient la mer. On s'est assis sur un banc sans rien dire, sans même mesurer si la sentence était lourde ou légère ou seulement juste. Elle ne parlait pas, France, elle regardait le carrelage usé du sol, et puis voilà, elle a quand même dit : C'est de ta faute. Une seule fois peut-être mais une seule fois c'est suffisant pour un homme comme moi, pour le mettre à terre et activer en lui l'armada du coupable. Peut-être elle ne l'a pas pensé vraiment, peut-être seulement la colère ou le désarroi, mais c'est toujours trop tard, elle l'a dit une fois et c'est inscrit là, à même les parois de mon crâne, je jure, quand j'ai entendu ça, c'est comme si cette fois la peau entière de mon crâne m'avait été retirée, cette fois l'écorchure de tout le corps à vif, et qu'on avait mis de l'alcool à 90 directement dans mon cerveau.

Et comme si j'avais pu lui répondre, comme si j'avais eu cette force de faire la conversation alors que si seulement j'arrivais à dire quelque chose, ce serait avec la respiration assez coupée pour qu'elle entende ça : non pas ce que j'avais vraiment à dire mais le fait même que je ne pouvais rien dire. Je crois qu'elle a compris des choses au milieu de mon silence.

C'est comme ça du moins que je l'ai interprété quand elle s'est levée un peu plus tard, et qu'en partant – parce que c'est toujours en partant que ces choses-là arrivent, comme si on n'était déjà plus là, vous comprenez, et comme si le fait de n'être déjà plus là, alors on avait comme le droit de faire les choses qu'on n'aurait jamais osées quand on était là tout entier, le droit de toutes les confidences quand on est déjà debout, nos corps dans l'embrasure de la grande porte en verre et voilà que je sentais déjà l'air sur son cou qui l'appelait dehors, alors, quand en partant nos mains, oui, nos mains simplement et puis il y a eu peut-être une seconde de plus, je veux dire, nos mains se sont tenues une seconde de plus et puis alors on ne saurait pas dire dans ces instants comment ça tourne, mais je sais que voilà, elle et moi, nos mains se sont serrées un peu plus fort et on s'est approchés très près l'un de l'autre et oui, on s'est embrassés, on s'est embrassés assez longtemps pour que je me souvienne de ce que ça faisait, de l'embrasser elle, avant que d'un sursaut elle se recule légèrement et puis, donc, qu'elle s'en aille.

Là, à la sortie du tribunal, sur les quelques marches extérieures qui dominaient le port, j'ai essayé de faire le point comme on peut faire quelquefois dans sa vie, à vouloir en reprendre toutes les coordonnées, comme au compas sur une carte marine mesurer les distances des amers et conclure d'une petite croix faite au crayon de papier « voilà, j'en suis là ». Sauf que parmi les amers désormais, ce n'était pas des clochers ou des châteaux d'eau qui se dressaient comme repères sur l'océan, mais plutôt des phrases sèches et solitaires, des visages s'éloignant, des « c'est de ta faute » ou des « votre fils ». Je me souviens de la mouette posée là, la mer devant nous qui s'étendait sereine. Puis Erwan à son tour est sorti du palais la tête basse et poussé par les policiers dans la voiture qui le ramenait là-bas, dans la maison d'arrêt qui lui servait de logement.

J'ai regardé la voiture s'éloigner, sa nuque à peine distincte à travers le pare-brise, me redisant en boucle : il y a quelque chose qui ne va pas, il y a quelque chose à l'envers dans cette vie. Dans un monde normal, c'est moi qui devrais être là, à l'arrière d'une berline blanche écrit dessus « police » mais pas Erwan, pas mon propre fils de dix-sept ans.

C'était ici-même, monsieur le juge, dans ce même palais de justice, quelques étages en dessous. À croire que depuis le début tout converge vers ici, comme, je ne sais pas, une peinture qu'on regarderait de n'importe où et on sentirait comme un appel qui nous entraînerait vers le centre, comme si j'étais aimanté par une lumière qui me ramènerait toujours ici. Peut-être même, la lumière, c'est vous, j'ai dit au juge, peut-être vous aimantez mes souvenirs et vous les faites tourner en moi comme des anneaux autour de Saturne.

Oui, peut-être, a dit le juge, peut-être.

Vous savez, je crois que ce palais se souvient de tout. Je crois qu'il enferme tous les procès et les verdicts du monde, silencieusement, méthodiquement, qu'il les range dans sa profondeur pendant des siècles. Je crois qu'un jour, quand il s'écroulera, ce jour-là il recrachera tout d'un coup, toutes les injustices de la terre, et elles se répandront comme de la poussière noire dans les villes du futur. Mais le problème, j'ai dit au juge, c'est que je ne serai plus là pour le voir. Ni moi ni aucun membre de cette histoire. Et Lazenec pas plus que les autres.

Alors vous comprendrez qu'on ne peut pas toujours attendre des siècles je ne sais quelle justice naturelle qui ne tombera peut-être jamais.

Et puis Lazenec à son tour est sorti, avec les journalistes autour de lui qui lui demandaient de réagir, les micros tendus sur sa bouche silencieuse, et peut-être ils pensaient comme moi, les journalistes, que c'était le monde à l'envers, que le seul qui aurait dû partir sous les gyrophares bleus, c'était lui. Il est passé à côté de moi mais il ne m'a pas vu. Je l'ai observé rejoindre sa voiture sur le parking en face et j'ai eu l'impression que je ne le reverrais plus jamais.

Erreur évidemment, j'ai dit au juge.

Un type comme ça, monsieur le juge, un type comme ça, j'ai compris depuis : si ce n'est pas vous qui le faites disparaître, il ne disparaîtra jamais. Il reviendra. Toujours. Tout ce qu'il sait faire au fond, c'est revenir, s'éclipser bien sûr mais revenir, tapi dans l'ombre d'une horloge qui compte les semaines plus que les heures, attendant peut-être que nos colères tombent, attendant que je quitte les mauvaises nuits à ruminer et me dire qu'Erwan, ce n'est pas de son bateau qu'il aurait dû s'occuper. Je ne saurais pas dire aujourd'hui combien de jours ou semaines se sont écoulés, pas même combien de fois j'ai visité Erwan le mercredi après-midi à la maison d'arrêt, mais je sais que là, dans les trente minutes hebdomadaires où on se tenait l'un en face de l'autre, c'était comme si les cent mille volts qui continuaient de vibrer en lui, maintenant je les reprenais peu à peu, maintenant je me remplissais positivement de toute l'énergie noire d'Erwan et que bientôt, oui, bientôt, je serais assez chargé à mon tour pour remettre toutes les choses à l'endroit.

Mais voilà que les jours glissent et se déposent comme des alluvions qui ralentissent le flot. Voilà que ce temps-là, âpre et nerveux et insomniaque, ce temps-là, il devient lisse et nacré comme un tapis de galets sur une grève. Et c'est ce moment-là qu'il choisit pour revenir, comme si rien n'était jamais fini, que rien ne pourrait jamais finir puisque rien n'aurait jamais commencé, vous comprenez ?

Il a sonné chez moi, Lazenec.

Trois mois peut-être. Il a tenu trois mois sans qu'on le croise dans aucune rue du bourg ni venu inspecter ses deux hectares de boue. Trois mois seulement et il a sonné chez moi.

Et quel cerveau, j'ai demandé au juge, quel cerveau il nous faut, à nous autres les gens normaux, pour admettre qu'il existe sur terre une catégorie de personnes comme ça, dépourvues de cette chose que vous et moi, j'ai dit au juge, je suis sûr qu'on partage, quelque chose qui normalement nous empêche ou nous menace, quelque chose – une conscience peut-être, et qui naît assez vite pourvu qu'on ait dans la tête ce miroir mal fixé qui fait que même Adam s'est couvert d'une feuille de vigne, quelque chose qui nous entrave, oui, mais peut-être aussi, nous honore. Et le fait est que certains en sont dépourvus, de cette chose-là, comme d'autres naissent avec un bras en moins, certains naissent atrophiés de, je ne sais pas, de...

Et le juge a dit : D'humanité ?

Oui, peut-être au fond c'est ça, d'humanité.

Alors voilà, ce type qui avait détruit Le Goff, ce type qui avait détruit Erwan, ce type qui m'avait détruit moi, ce même type se présentait à ma porte et faisait comme un voisin normal qui serait venu par courtoisie ou bien je ne sais pas, par amnésie peut-être, essayant de vitrifier le passé comme un parquet dont on craindrait les échardes, disant mécaniquement : Je suis désolé pour Erwan.

Je ne crois pas que j'ai su quoi répondre.

Si d'aventure je peux vous être utile, il a repris.

Non, j'ai dit, je ne pense pas.

Et il a fait cette sorte de quart de tour comme quelqu'un qui serait sur le point de s'en aller mais qui sait déjà qu'il ne partira pas avant d'avoir été au bout de son idée, et il s'est arrêté dans son mouvement, il a tourné la tête vers moi, et il a dit : Si un prochain jour ça vous tente, on pourrait aller pêcher ensemble.

Pardon ? j'ai dit.

Je pourrais vous emmener, il a dit. Et il a ajouté : Je ne suis pas rancunier.

Vous entendez ça, j'ai dit au juge. Il a dit ça : je ne suis pas rancunier. Cinq cent douze mille francs et c'est lui qui n'est pas rancunier. Qu'est-ce que vous voulez qu'un type comme moi réponde à ça ? Même, à force de cette noirceur ou nuisance ou maléfice dont les gens comme ça enferrent le monde autour d'eux, à force je ne saurais pas vous expliquer comment, mais ils parviennent à ôter aux autres ce qui leur reste de dignité ou simplement, de logique.

Parce que donc voilà : j'ai dit oui.

La suite, vous la connaissez.

La suite, elle est écrite par les courants qui savent rejeter les corps le long des côtes. Vous pouvez appeler ça homicide volontaire ou je ne sais pas quelle expression qui sait dire les choses dans une langue normale mais ce que j'ai fait, monsieur le juge, ça ne me donne pas le sentiment d'être un meurtrier, ce que j'ai fait : je l'ai ostracisé, vous comprenez, ostracisé, comme une verrue qu'on brûle pour régénérer la peau, si la peau ici c'est notre ville, alors il y a un moment, il faut savoir enlever le mal à la racine. Je l'ai fait pour notre bien à tous.

Maintenant le soleil avait l'air de vouloir percer, avec peut-être le changement de marée sur le coup des 17 heures. Avec la renverse, souvent le temps change ici, et il arrive que le ciel se dégage vers 17 heures, en tout cas ici on voit plus souvent le soleil le soir que le matin, ça ne s'explique pas mais c'est comme ça.

D'ailleurs, je ne l'ai pas vraiment tué : pour ce qui est d'en finir physiquement avec lui, la mer a eu l'air de s'en occuper mieux que moi, mais la justice – la justice, j'ai dit au juge, il n'y a que les hommes qui peuvent faire ça.

Mais le fait est qu'il est mort, a repris le juge. Et le fait est que c'est vous qui êtes assis là, en face de moi.

Vous voulez dire ?

Ce n'est pas le procès de la mer ni de la brume qui aura lieu mais le vôtre.

Oui. Et après ? Qu'est-ce que vous voulez que j'y fasse ?

Nul n'est censé ignorer la loi, a dit le juge.

Non, bien sûr, j'ai repris, nul n'est censé ignorer la loi. Si on l'oubliait, si on la rayait des livres de droit, tout s'écroulerait, n'est-ce pas ? Et vos livres plantés là sur les étagères, vous pourriez tous les jeter par la fenêtre. Avec un peu de chance, vous les verriez flotter sur l'eau de la rade. Avec un peu de chance, les poissons les liraient. Mais eux, les poissons ou les algues, vous serez d'accord avec moi, ils n'ont pas besoin de lire des livres pareils, vu que les lois qui les concernent, ils ne sont pas près de les ignorer.

Il y a eu un silence de plus et puis j'ai lancé :

Ça va me coûter cher ?

Je ne sais pas, il a dit.

Vous ne savez pas ?

Non, ça dépend.

De quoi ?

De moi.

Et d'un coup il s'est levé comme s'il ne tenait plus en place, ou bien comme s'il voulait échapper à son fauteuil de juge, il est allé jusqu'à la fenêtre, les mains qu'il a mises dans ses poches et puis se retournant vers moi, hésitant peut-être une dernière fois, il a dit sur le ton d'une question qu'il m'aurait posée, il a dit :

Après tout, ça, toute cette virée sur l'eau, ça pourrait aussi être un accident.

J'ai froncé les sourcils en essayant de comprendre ce qu'il voulait dire, c'est-à-dire en ayant parfaitement compris ce qu'il voulait dire mais peut-être ne l'ayant pas déplié en une phrase logique et ordonnée, plutôt encore à l'état d'une boule de feu qui traversait mon cerveau d'un côté l'autre et qui ne savait pas trop sur quel mur s'arrêter. Et c'était étrange de voir le même juge baisser si nettement les yeux et se mettre à jouer avec le bout de sa cravate, sans encore savoir si c'était la fierté de qui tient toutes les ficelles ou la gêne de croire outrepasser le droit, alors j'ai seulement lâché :

Monsieur le juge, ça ne me fait pas rire.

Et tandis qu'il restait là debout à me regarder, se passant la main maintenant sur le bas du visage en faisant durer le silence, j'ai compris qu'il ne plaisantait pas.

Mais enfin, j'ai repris, j'aurais dû prévenir les secours, ou bien je ne sais pas, me rendre aussi vite

172

au bureau du port, alors un accident, monsieur le juge, vous-même, vous savez bien, il y a beaucoup de choses contre moi...

Mais il ne m'écoutait plus, le juge. Maintenant il avait saisi l'un des livres rouges posé là sur le bureau et il l'avait ouvert devant lui, comme si seuls désormais les livres de droit pouvaient trancher, comme si tout ce que j'avais dit dans ces longues heures assis là, tout ce que je disais maintenant pour éclairer le jour finissant, je ne l'avais pas confié à un juge ni à l'air ambiant d'un palais de justice mais que chaque phrase avait seulement attendu de venir se loger là, dans les pages en papier bible d'un livre de lois.

Et dans le bruit du même papier qu'il froissait doucement, le juge a trouvé la page qu'il cherchait, faisant glisser son doigt sur elle, il l'a arrêté, son doigt, disant : Écoutez bien, Kermeur, écoutez bien, et peut-être que ce sera plus clair pour vous.

Et alors calmement, distinctement il s'est mis à lire à voix haute, comme s'il avait devant lui une assemblée entière ou bien comme s'il voulait que j'apprenne chaque phrase par cœur, et je l'ai écouté lire :

« *Article 353 du code de procédure pénale : la loi ne demande pas compte aux juges des moyens par lesquels ils se sont convaincus, elle ne leur prescrit pas de règles desquelles ils doivent faire particulièrement dépendre la plénitude et la suffisance d'une preuve ; elle leur prescrit de s'interroger eux-mêmes dans le silence et le recueillement et de chercher, dans*

173

la sincérité de leur conscience, quelle impression ont faite, sur leur raison, les preuves rapportées contre l'accusé, et les moyens de sa défense. La loi ne leur fait que cette seule question, qui renferme toute la mesure de leurs devoirs : Avez-vous une intime conviction ? »

Oui, souvent, quand je regarde la mer depuis la fenêtre de ma cuisine, quand je respire l'air libre de la mer qui se prosterne en contrebas, je récite à voix haute les lignes de l'article 353, comme un psaume de la bible écrit par Dieu lui-même, avec la voix du juge qui résonne encore à mes oreilles, lui, me regardant plus fixement que jamais, disant, un accident, Kermeur, un malheureux accident.

CET OUVRAGE À ÉTÉ ACHEVÉ D'IMPRIMER LE
DIX OCTOBRE DEUX MILLE SEIZE DANS LES
ATELIERS DE NORMANDIE ROTO IMPRESSION S.A.S.
À LONRAI (61250) (FRANCE)
N° D'ÉDITEUR : 5965
N° D'IMPRIMEUR : 1602277

Dépôt légal : janvier 2017